As sete leis espirituais para os pais

DEEPAK CHOPRA

As sete leis espirituais para os pais

Como guiar seus filhos em direção ao sucesso e à realização

Tradução de
Claudia Gerpe Duarte

Título original
THE SEVEN SPIRITUAL LAWS FOR PARENTS
Guiding Your Children to Success and Fulfillment

Copyright © 1997 *by* Deepak Chopra, M.D.

Todos os direitos reservados.
Edição brasileira publicada mediante acordo com
Harmony Books, um selo da Random House,
uma divisão da Penguin Random House LLC

Direitos para a língua portuguesa reservados
com exclusividade para o Brasil à
EDITORA ROCCO LTDA.
Rua Evaristo da Veiga, 65 – 11º andar
Passeio Corporate – Torre 1
20031-040 – Rio de Janeiro – RJ
Tel.: 3525-2000 – Fax: 3525-2001
rocco@rocco.com.br|www.rocco.com.br

Printed in Brazil/Impresso no Brasil

CIP-Brasil. Catalogação na publicação.
Sindicato Nacional dos Editores de Livros, RJ.

C476s
Chopra, Deepak
As sete leis espirituais para os pais: como guiar seus filhos em direção ao sucesso e à realização /Deepak Chopra; tradução de Claudia Gerpe Duarte. Rio de Janeiro: Rocco, 1998.

Tradução de: The seven spiritual laws for parents: guiding your children to success and fulfillment
ISBN 85-325-0934-7

1. Sucesso. 2. Autorrealização (Psicologia). 3. Crianças – Formação. I. Título. II. Série.

98-1465
CDD: 158.1
CDU: 159.947

O texto deste livro obedece às normas do
Acordo Ortográfico da Língua Portuguesa.

Dedico este livro a minha esposa, Rita;
aos meus filhos,
Mallika e Gautama;
e aos meus pais,
Krishan e Pushpa.
Eles me ensinaram o verdadeiro
significado de ser pai.

SUMÁRIO

Agradecimentos do Autor 9
Introdução 11

PRIMEIRA PARTE
COMO SER PAI E A DÁDIVA DO ESPÍRITO 15

SEGUNDA PARTE
A PRÁTICA DAS SETE LEIS ESPIRITUAIS 39

CONCLUSÃO
O QUE NÃO PODEMOS DISPENSAR 117

AGRADECIMENTOS DO AUTOR

Agradeço profundamente à minha família, que sempre me deu apoio e me ensinou o verdadeiro significado do sucesso; agradeço ainda à minha equipe de apoio no The Chopra Center for Well Being em La Jolla, na Califórnia, e no Infinite Possibilities em Massachusetts; sou grato ainda à minha segunda família na Harmony – especialmente a Peter Guzzardi, Patty Eddy, Tina Constable e Chip Gibson; e, finalmente, agradeço, como sempre, a Muriel Nellis, que tem sido a madrinha de todos os meus empreendimentos literários.

INTRODUÇÃO

Quando publiquei *As sete leis espirituais do sucesso*, a reação foi imediata e muito bonita: milhares de pessoas que leram o livro começaram a praticar, na vida cotidiana, os princípios que a Natureza utiliza para criar todas as coisas na existência material.

Na época, recebi pedidos de muitas dessas pessoas que também eram pais. O pedido delas assumiu muitas formas, mas refletia, basicamente, um único tema: "Por mais que eu tenha lucrado ao pôr em prática essas leis espirituais, gostaria de tê-las aprendido há muitos anos. O valor de princípios como o ato de dar, não oferecer resistência e confiar que o universo irá satisfazer meus desejos me parece óbvio agora, mas não o foi no começo. Foi muito difícil romper os hábitos destrutivos com os quais cresci. Na qualidade de pai (ou mãe) não quero que meus filhos adquiram os mesmos maus hábitos e tenham que mais tarde passar pelo mesmo sofrimento ao tentar mudar. Como posso garantir que isso não vai acontecer?"

Escrevi este novo livro para atender a tais pedidos, expandindo *As sete leis espirituais* especificamente para os pais. Ele mostrará a qualquer pessoa que queira adaptar as leis espirituais para crianças como fazê-lo de uma maneira que a criança consiga compreender essas leis e aplicá-las. Minha abordagem aqui se baseia na crença de que todos os pais precisam de ferramentas para criar os filhos com um verdadeiro entendimento de como a Natureza e a consciência funcionam. Todas as pessoas no mundo querem alguma coisa; todo mundo tem desejos. As crianças precisam saber, desde o início, que o desejo é o impulso mais fundamental da natureza humana. Ele é a energia do espírito. Quando crescemos e buscamos respostas para profundas indagações ou nos propomos a resolver questões que encerram um imenso desafio para nossa vida pessoal, estamos, na verdade, trabalhando com o mesmo desejo natural que fez de nós crianças curiosas. Quem busca é a criança que deixou de precisar do amor dos pais e passou a precisar do amor de Deus, que deixou de querer brinquedos e passou a desejar a criatividade infinita. Tentarei neste livro mostrar aos pais como seus filhos podem concretizar da melhor maneira seus desejos e alcançar com êxito o que querem na vida. E farei o melhor possível para explicar os conceitos espirituais de uma maneira que qualquer criança consiga compreendê-los. Mas este não é simplesmente um livro dirigido às crianças, visto que o que as crianças precisam saber é apenas uma forma modificada daquilo que os adultos também precisam saber.

Em sua enorme veneração do sucesso material, a sociedade deixa escapar uma profunda verdade: o sucesso depende do que somos e não do que fazemos. O ser, essência ou espírito – não importa o nome que lhe demos – repousa na origem de todas as realizações na vida. Mas o Ser é extremamente abstrato, de modo que as pessoas o veem mais como uma ideia do que como algo real e útil. Não obstante, se examinarmos as mais antigas tradições da sabedoria humana, encontraremos certos princípios fixos, conhecíveis e confiáveis através dos quais o espírito se expande a partir do Ser eterno em direção à vida cotidiana.

Talvez algumas pessoas tenham dificuldade em compreender como as leis espirituais possam ter tanto valor na vida diária e ao mesmo tempo possam ter permanecido na obscuridade durante tantos séculos. Por analogia, as pessoas só tomaram consciência da eletricidade depois da invenção da lâmpada, apesar do fato de todo o universo estar permeado pela energia elétrica desde os primórdios da criação. O ser, espírito ou essência também é invisível, mas afeta intensamente a vida cotidiana. A inteligência invisível por trás do universo visível atua através das Sete Leis Espirituais. Uma vez mais, por analogia, se as leis da eletricidade não tivessem sido descobertas, as aplicações práticas da eletricidade nunca teriam se tornado disponíveis para nós.

Agora, mais do que nunca, nesta era de violência e confusão, existe a necessidade urgente de que os pais assumam o papel de mestres espirituais dos filhos. As leis por trás do funcionamento da Natureza não são secretas. Elas se aplicam a todos e a tudo. Por conseguinte, compreender essas leis não é apenas uma maneira de ajudar algumas pessoas; é vital para nossa sociedade e até mesmo para nossa civilização. Se um grupo crítico de nossas crianças for criado para praticar as Sete Leis Espirituais, toda nossa civilização se transformará. O amor e a compaixão, considerados banais hoje em dia, podem se tornar o alento natural da existência de todos nós. E nossa obrigação para com o mundo, creio eu, garantir que o maior número possível de crianças cresça consciente do que é a realidade espiritual.

O espírito sempre foi evasivo. Uma antiga escritura indiana diz que uma faca não consegue cortá-Lo, a água não é capaz de molhá-Lo, o vento não consegue arrastá-Lo e o sol é incapaz de secá-Lo. Cada molécula do universo é permeada pelo Ser; cada pensamento que temos, cada informação que nos chega através dos cinco sentidos nada mais é do que o Ser. Mas o Ser pode passar desapercebido, visto que é completamente silencioso, como um importante coreógrafo que nunca participa da dança. Somos sustentados no Ser; extraímos dele nosso alento e nossa vida, e, no entanto, ele é algo a respeito do qual nossos pais pouco nos ensinaram.

Todos podemos ser perdoados pela nossa falta de conhecimento com relação ao espírito, e podemos ensinar a nós mesmos as Sete Leis Espirituais com o mesmo entusiasmo com que as ensinamos aos nossos filhos. Este foi, acima de tudo, o ideal que direcionou este livro.

PRIMEIRA PARTE

COMO SER PAI E A DÁDIVA DO ESPÍRITO

Afinal de contas, o que é Deus?
Uma eterna criança brincando eternamente
no jardim eterno.

Sri Aurobindo

O desejo mais profundo que se encerra no coração de um pai ou uma mãe é ver o filho ter sucesso na vida. Quantos de nós, no entanto, percebemos que o caminho mais direto para o sucesso é através do espírito? Geralmente não fazemos esse tipo de ligação na nossa sociedade; fazemos, na verdade, exatamente o oposto. Ensinamos aos nossos filhos como sobreviver, como se comportar a fim de obter nossa aprovação, como se defender, como competir, como persistir diante de desapontamentos, obstáculos e contratempos. Embora acreditar em Deus seja com frequência considerada uma boa coisa, o espírito foi tradicionalmente mantido separado do sucesso na vida cotidiana. Este é um grande erro, e sempre exerceu profundo efeito na nossa vida, desde a infância.

Muitas pessoas assumem, sem questionar, que o sucesso é essencialmente material, que ele pode ser medido através do dinheiro, do prestígio ou de uma grande abundância de bens e propriedades. Tudo isso desempenha, sem dúvida, seu papel, mas possuir essas coisas não é garantia de sucesso. O sucesso que queremos que nossos filhos alcancem também precisa ser definido de uma maneira não material. Ele deve incluir a capacidade de amar e sentir compaixão, de sentir alegria e transmiti-la aos outros, a certeza de saber que nossa vida serve a um propósito, e, finalmente, a ideia de uma ligação com o poder criativo do universo. Tudo isso constitui a dimensão espiritual do sucesso, a dimensão que gera a realização interior.

Se o significado da sua vida se apresenta a você todos os dias, com simplicidade e encanto, você já terá alcançado o sucesso – o que significa que todo bebê nasce bem-sucedido. A capacidade da criança de sentir encantamento diante da existência do dia a dia é a prova mais segura que temos de que a Natureza quer que sejamos bem-sucedidos. Faz parte da nossa natureza reagir à vida com alegria. As sementes de Deus estão dentro de nós. Quando empreendemos a jornada do espírito, regamos as sementes divinas. A vida agradável reflete meramente nossa intenção interior. Com o tempo, as flores de Deus florescem dentro de nós e à nossa volta, e começamos a testemunhar e conhecer o milagre do divino onde quer que estejamos.

Por conseguinte, nossa responsabilidade como pais é situar firmemente nossos filhos na jornada do espírito. Esta é a melhor coisa que podemos fazer para garantir o sucesso deles na vida; é melhor do que lhes oferecermos dinheiro, casa segura ou mesmo amor e afeto. Peço que levem em consideração essa noção espiritual da criação dos filhos, por mais diferente que ela possa ser da maneira como encaram atualmente seu papel.

Para pôr em prática essa nova maneira de criar os filhos, precisamos ensinar princípios práticos aos nossos filhos. Os princípios que tenho em mente foram apresentados em um livro anterior meu com o nome de *As sete leis espirituais do sucesso*. A fim de efetuar uma conexão com o espírito, é fundamental termos um certo conhecimento da lei espiritual. Quando praticamos leis espirituais, nós nos colocamos em harmonia com a Natureza. Qualquer outra maneira de viver conduz ao desgaste e ao esforço excessivo. O sucesso alcançado através do esforço pode nos proporcionar boas coisas, mas a *realização* interior, que buscamos obter a partir dessas coisas, estará ausente.

Em linguagem adulta, as Sete Leis Espirituais são as seguintes:

PRIMEIRA LEI: *A Lei da Potencialidade Pura*
A origem de toda criação é a consciência pura. A potencialidade pura procurando se expressar a partir do não manifestado, em direção ao manifestado.

SEGUNDA LEI: *A Lei do Dar*
Na nossa disposição de dar aquilo que buscamos, mantemos a abundância do universo circulando em nossa vida.

TERCEIRA LEI: *A Lei do "Carma"*
Quando escolhemos ações que trazem felicidade e sucesso aos outros, o fruto do nosso carma é a felicidade e o sucesso.

QUARTA LEI: *A Lei do Menor Esforço*
A inteligência da Natureza funciona com tranquila desenvoltura. Com despreocupação, harmonia e amor. Quando utilizamos essas forças, geramos o sucesso com a mesma tranquila desenvoltura.

QUINTA LEI: *A Lei da Intenção e do Desejo*
Inerente a cada intenção e desejo existe a mecânica para a sua realização. No campo da potencialidade pura, a intenção e o desejo possuem um poder infinito.

SEXTA LEI: *A Lei do Desapego*
Na nossa disposição de penetrar no desconhecido, no campo de todas as possibilidades, nós nos rendemos à mente criativa que orquestra a dança do universo.

Sétima lei: *A Lei do "Dharma"*
Quando combinamos nosso talento único com o serviço ao próximo, experimentamos o êxtase e o regozijo do nosso espírito, que é a meta suprema de todas as metas.

Não importa que as chamemos de "leis" ou "princípios". São leis, visto que governam o desabrochar do espírito enquanto ele se desloca do mundo invisível da alma para o mundo visível da matéria. São princípios, visto que podemos levá-los a sério e aplicá-los da mesma maneira pela qual aplicaríamos um princípio como dizer a verdade ou ser justo.

Por que precisamos desses princípios? Por que não simplesmente ensinar aos nossos filhos a amar a Deus e a exercer a bondade?

A resposta é que as Sete Leis Espirituais colocam a pessoa em contato com a mecânica da Natureza. Quando você conscientemente alinha sua vida com a lei espiritual, você está pedindo ao universo que o sustente com sucesso e abundância. Esta é a chave para que você se torne consciente do seu Ser e use seu poder infinito. Quanto mais cedo a pessoa aprende a viver de uma maneira desembaraçada, harmoniosa e criativa, mais provável é que sua vida seja repleta de sucesso. É isso que somos solicitados a passar para nossos filhos, e, se conseguimos fazê-lo, nada é capaz de conferir mais alegria e orgulho.

Cada tradição espiritual encerra uma versão dessas sete leis, mas elas emergem em sua forma mais pura a partir da antiga tradição védica da Índia, que as articulou há mais de cinco mil anos. As Sete Leis Espirituais servem a uma visão, como veremos a seguir.

Os seres humanos são compostos de corpo, mente e espírito. O espírito é vital, pois nos liga à origem de tudo, ao eterno campo da consciência. Quanto mais sintonizados estivermos, mais desfrutaremos da abundância do universo, que foi organizado para satisfazer nossos desejos e aspirações. Só sofremos e nos debatemos quando nos encontramos em um estado de desconexão. A intenção divina é que cada ser humano desfrute de sucesso ilimitado.

Por conseguinte, o sucesso é supremamente natural.

AS CRIANÇAS E O ESPÍRITO – O ENSINAMENTO DA INOCÊNCIA

A linguagem das Sete Leis Espirituais precisa ser diferente, menos abstrata, quando transmitida a uma criança. Felizmente, as mesmas leis podem ser formuladas de maneira que até mesmo uma criança pequena seja capaz de entendê-las com a mente e o coração:

PRIMEIRA LEI:
Tudo é possível.

SEGUNDA LEI:
Para conseguir alguma coisa você deve dá-la, primeiro, de presente.

TERCEIRA LEI:
Quando você faz uma escolha, você muda o futuro.

QUARTA LEI:
Não diga não – siga a corrente.

QUINTA LEI:
Todas as vezes em que você deseja ou quer alguma coisa, você planta uma semente.

SEXTA LEI:
Aproveite a jornada.

SÉTIMA LEI:
Você está aqui por uma razão.

No dia em que escrevi estas simples frases, não parei muito tempo para refletir sobre elas. Depois, a seguinte ideia me veio à mente: se tivessem me ensinado essas sete leis quando eu era criança, minha vida teria sido profundamente diferente. Eu teria aprendido algo precioso e prático ao mesmo tempo, algo que não teria desaparecido como uma lição da infância, e sim amadurecido e se transformado em uma lição espiritual a cada ano.

A criança dotada de uma aptidão espiritual será capaz de responder às perguntas mais básicas a respeito do funcionamento do universo; ela perceberá a fonte da criatividade, tanto dentro quanto fora dela; ela será capaz de não criticar e praticar a complacência e a verdade, que são as virtudes mais valiosas que se pode possuir para lidar com as outras pessoas; e ela estará livre do medo e da ansiedade, que incapacitam com relação ao significado da vida e são a podridão secreta existente no coração da maioria dos adultos, sejam eles capazes ou não de admiti-lo.

A educação mais profunda que você pode dar ao seu filho é a educação espiritual.

Não estou me referindo a impor regras rígidas às crianças, dizendo-lhes que devam ser boas para não serem punidas. Cada uma das Sete Leis Espirituais deve ser transmitida não como uma regra ou preceito rígido, e sim como *uma maneira pessoal de encarar a vida*. Na qualidade de pai ou mãe, você ensina com muito mais eficácia através do exemplo de quem você é, do que através do que você diz. Isso em si é parte da perspectiva espiritual.

Toda criança tem em si uma vida espiritual. Isso se deve ao fato de que toda criança nasce no campo da criatividade infinita e da consciência pura que é o espírito. Mas nem toda criança sabe que isso é verdade. O espírito precisa ser cultivado; precisa ser nutrido e estimulado. Se o for, o espírito inocente da criança se desenvolve e se torna suficientemente forte para suportar as duras realidades de um mundo frequentemente não espiritual.

Perder o contato com o espírito não causa nenhum mal ao campo infinito da criatividade, que está além de qualquer dano. Mas pode causar grandes prejuízos às oportunidades que a pessoa tem na vida. Com o espírito, somos todos crianças do cosmo; sem ele, ficamos órfãos e à deriva.

Tomemos um exemplo. A Sétima Lei afirma que "Você está aqui por uma razão". A razão para uma criança estar aqui pode ser colocada em palavras simples, do dia a dia, como:

O que fiz de importante hoje?
Que talento revelei?
O que veio a mim – um presente, uma lição, uma bela experiência – que fez com que eu me sentisse especial?
O que fiz para fazer com que outra pessoa se sentisse especial?

Essas são simples variações da pergunta básica "Por que estou aqui?". Todos fizemos essa pergunta quando crianças e só deixamos de fazê-la porque sentimos que nossos pais e professores na verdade não tinham uma resposta para nos dar.

A criança que não aprendeu a buscar o significado de maneira simples terá que tentar um dia encontrar um propósito na vida sob circunstâncias muito mais difíceis. Geralmente adiamos nossa busca até o final da adolescência ou até estarmos com vinte e poucos anos, e, às vezes, até a meia-idade. Infelizmente, esses são os estágios mais turbulentos do desenvolvimento pessoal. "O significado da vida" se confunde com a rebeldia e as intensas emoções típicas do final da adolescência, ou com a crescente consciência da mortalidade que surge na meia-idade. Na escola nos debatemos com as ideias dos grandes mestres religiosos e dos filósofos. A questão a respeito do significado de existência nos engole. (Creio que qualquer pessoa que tenha vivido na década de 60 é dolorosamente capaz de se identificar com todas as fases dessa luta.)

Não obstante, uma criança que tivesse aprendido desde os três ou quatro anos de idade que "Você está aqui por uma razão" enfrentaria um futuro bem diferente. Essa criança encararia a busca de significado na vida como uma coisa natural, o equivalente espiritual de aprender o abecê. Não haveria anos de adiamento, seguidos por um tumulto interior desesperado. "Por que estou aqui?" não precisa ser, necessariamente, uma terrível questão existencial. Trata-se da exploração mais feliz que uma pessoa pode empreender, e estamos fazendo um enorme favor aos nossos filhos ao apresentá-la como tal. A criança que prestasse atenção apenas a esse princípio teria uma vida muito mais rica – uma vida mais bem-sucedida – do que a de incontáveis adultos para quem o "espírito" e

"Deus" permanecem eternamente trancados em um mundo de abstração.

O verdadeiro crescimento espiritual transforma a pessoa de uma maneira paradoxal. Gera o entendimento ao mesmo tempo que preserva a inocência. Como pais, somos dolorosamente tentados a nos distanciarmos da infância. Fazemos isso acreditando conhecer mais a respeito da vida, quando, na verdade, em geral apenas experimentamos mais. Nós nos tornamos capazes de conhecer as regras e evitar a punição, de disfarçar nossa fraqueza com a força, de jamais deixar cair a máscara da invulnerabilidade. Não existe melhor receita para destruir a inocência de uma criança do que destruir nossa própria inocência.

Aos olhos do espírito, todo mundo é inocente, em todos os sentidos da palavra. Como você é inocente, você não fez nada que mereça punição ou a ira divina. Você se renova a cada dia. Você é um receptor da experiência que nunca cessa de inspirar encanto e assombro. Existe apenas uma diferença espiritual entre a inocência das crianças e a inocência dos adultos: nós, adultos, somos inocentes, mas *temos o entendimento* – e é isso que devemos transmitir, ao mesmo tempo em que retemos a qualidade pura e prístina que surge com o verdadeiro conhecimento.

COMO COMEÇAR

Desde o dia em que seu bebê nasce, você é um mestre do espírito. Se você criar uma atmosfera de confiança, abertura, complacência, evitando a crítica, essas qualidades serão absorvidas como qualidades do espírito.

Em um mundo perfeito, criar os filhos deveria se reduzir a uma única frase: *Demonstre apenas amor, seja apenas amor.*

Mas no mundo que todos temos que enfrentar, as crianças crescem tendo diante de si comportamentos não amorosos, na maior parte das vezes, fora do lar, mas, algumas vezes, também em casa. Em vez de se preocupar em encarnar a quantidade de amor suficiente para qualificar-se como um mestre espiritual, contemple a espiritualidade como uma aptidão para viver, pois é isso que ela é. Acredito que devemos transmitir essas aptidões o mais cedo possível, através de um método que a criança consiga compreender.

O BEBÊ DE COLO – DE 0 A 1 ANO
PALAVRAS-CHAVE: *Amor, afeto, atenção*

Felizmente para nossa geração, a ideia errônea de que as crianças precisam ser treinadas e disciplinadas a partir do berço foi abandonada. O bebê é puro ouro espiritual. Prezar a inocência dele é a maneira de descobrir o caminho de volta para a nossa. Desse modo, de uma maneira muito importante, são os pais que estão aos pés do bebê. A ligação espiritual com seu bebê surge através do contato, do abraço, da sensação de proteção, da brincadeira e da atenção. Sem essas reações "primitivas" do ambiente, o organismo humano é incapaz de florescer; ele definhará e murchará do mesmo modo que a flor privada da luz do sol.

A CRIANÇA QUE COMEÇA A ANDAR – DE 1 A 2 ANOS
PALAVRAS-CHAVE: *Liberdade, estímulo, respeito*

Este é o estágio no qual o ego da criança começa a se formar. Estou me referindo aqui ao *ego* em seu sentido mais simples do "eu", a convicção de "Eu sou". Trata-se de uma época perigosa, pois a criança está tentando, pela primeira vez, desapegar-se dos pais. A sedução da liberdade e da curiosidade a atraem em uma direção, mas o medo e a insegurança a puxam para outra. Nem todas as tentativas de independência são agradáveis. Cabe aos pais transmitir a lição espiritual sem a qual nenhuma criança é capaz de verdadeiramente adquirir uma personalidade independente, saber que o mundo é um lugar seguro.

Ser um adulto seguro significa que, antes de completar dois anos de idade, você não foi condicionado pelo medo; em vez disso, você foi estimulado a se expandir sem limites, a valorizar a liberdade, apesar dos revezes ocasionais que podem ter lugar quando a criança se depara com as coisas deste mundo. Levar um tombo não é a mesma coisa que fracassar; machucar-se não é a mesma coisa que chegar à conclusão de que o mundo é ameaçador. A ferida nada mais é do que a forma de a Natureza dizer à criança onde estão os limites – a dor existe para mostrar a ela onde começa e termina o "eu", para ajudá-la a evitar possíveis perigos, como queimar-se ou levar um tombo.

Quando os pais distorcem esse processo natural de aprendizado, o resultado é uma sensação de dor psicológica, que não era a intenção da Natureza. A dor psicológica estabelece fronteiras que você não consegue atravessar sem sentir uma profunda ansiedade com relação ao estado da sua existência. Se uma criança estabelecer uma ligação entre se ferir e ser má, fraca, incapaz de enfrentar os problemas, ou estar constantemente cercada por ameaças, não existe espaço para o seu crescimento espiritual. Sem a sensação de segurança, o espírito fica fora de alcance; tentamos eternamente nos sentir seguros neste mundo, mas essa segurança não pode ser alcançada sem que superemos os registros dos nossos primeiros anos de vida.

A CRIANÇA NA IDADE PRÉ-ESCOLAR – DE 2 A 5 ANOS
PALAVRAS-CHAVE: *Merecimento, exploração, aprovação*

Este estágio está relacionado com a construção da autoestima da criança. A autoestima prepara a criança para sair do seio da família e enfrentar o mundo maior. Esse estágio se identifica com tarefas e desafios. Até os dois ou três anos de idade, a criança não tem responsabilidade em suas tarefas – brincar e ser feliz lhe é suficiente. Não existe nenhuma necessidade espiritual; basta alimentar o encanto do eu da criança à medida que ele desabrocha para um novo mundo.

Ao aprender a controlar a micção e a evacuação, ao comer sozinha, a criança começa a perceber que "Eu sou" pode se expandir e se transformar em "Eu posso". Tão logo o ego percebe isso, não há como fazer parar a criança de dois anos. Ela acha que tem o domínio do mundo, e certamente de todos os membros da sua família. O "Eu" é como um gerador que acaba de ser ligado, e o que torna terrível na criança de dois anos é o fato de que o poder do seu ego recém-nascido surge de uma maneira indisciplinada. Gritar, berrar, correr de um lado para o outro, proferir a todo-poderosa palavra *não!* e tentar governar a realidade através da vontade – é o que acontece e precisamente o que deve acontecer nesse estágio.

O estágio pré-escolar vale por seu poder espiritual e apenas sua distorção pode causar problemas. Desse modo, em vez de tentar refrear o impulso de seu filho em direção ao poder, você precisa canalizá-lo para tarefas e desafios que ensinem o equilíbrio. Em desequilíbrio, a sede de poder de uma criança na idade pré-escolar se transformará em sofrimento, porque a experiência dela é a *ilusão* de poder. Uma criança pretensiosa de dois anos de idade é uma pessoa muito pequena, vulnerável e ainda não formada. Em virtude do nosso amor pela criança, devemos permitir que a ilusão dela sobreviva, porque queremos que ela cresça e se torne uma pessoa forte e capaz, que se sinta à altura de qualquer desafio que possa aparecer. Seu senso de autoestima não se desenvolverá se a sensação de poder for cortada ou reprimida nesse estágio.

O JARDIM DE INFÂNCIA – OS PRIMEIROS ANOS DO PRIMEIRO GRAU – DE 5 A 8 ANOS

PALAVRAS-CHAVE: *Dar, compartilhar, não julgar, aceitar, dizer a verdade*

As palavras-chave relacionadas com os primeiros anos de colégio encerram uma preocupação mais social. É claro que existem muitas outras palavras. A criança está vivenciando o mundo há cinco anos, seu cérebro se torna tão complexo e ativo que inúmeros conceitos estão sendo absorvidos e testados. Não estou dizendo que compartilhar, dar e dizer a verdade devam ser desprezados até essa idade, mas o aspecto importante desse estágio é que agora os conceitos abstratos podem começar a ser assimilados. A mente concreta da criança, que não compreendia os motivos do seu comportamento, apenas sentia, agora desabrocha e adquire a capacidade de aceitar as realidades existentes além do "Eu sou", "Eu quero" e "Eu estou em primeiro lugar".

É dando, em qualquer idade, que demonstramos que sentimos empatia por necessidades extrínsecas a nós. Se o ato de dar for encarado como uma perda – tenho que desistir de alguma coisa para que você possa tê-la – a lição espiritual desse estágio não terá sido ensinada. Dar, sob o aspecto espiritual, significa "Eu dou para você sem nada perder porque você é parte de mim". Uma criança pequena não pode assimilar completamente essa ideia, mas ela é capaz de *senti-la*. As crianças não apenas *gostam* de compartilhar – elas *adoram* compartilhar. Elas sentem o calor proveniente do fato de transcenderem as fronteiras do ego e incluírem outra pessoa no mundo delas; não existe nenhum ato mais íntimo, e, portanto, nenhum ato transmite uma sensação tão prazerosa.

Pode-se dizer o mesmo com relação a dizer a verdade. Nós mentimos a fim de permanecer em segurança, para evitar o perigo da punição. O medo da punição implica tensão interior, e mesmo quando a mentira efetivamente nos protege de um perigo, raramente ela traz alívio a essa tensão interior. Somente a verdade pode fazer isso. Quando uma criança pequena aprende que dizer a verdade provoca um bom sentimento, ela deu seu primeiro passo em direção à percepção de que a verdade encerra uma qualidade espiritual. Não é necessário punir. Se você estimular a atitude de "diga a verdade ou você terá problemas", você terá ensinado algo espiritualmente falso. A criança que se sente tentada a mentir está sob a influência do medo; se a verdade passa a se associar a esse medo, a mente, logicamente, tenta dar uma impressão melhor, *parecendo* dizer a verdade.

Em ambos os casos, a criança é forçada a agir de uma maneira melhor do que o que ela sente que é na verdade. Aprender a agir de acordo com as exigências dos outros é uma receita perfeita para a destruição espiritual. A criança precisa sentir que "é isso que eu quero fazer".

AS CRIANÇAS MAIS VELHAS – DOS 8 AOS 12 ANOS
PALAVRAS-CHAVE: *Julgamento independente, discernimento,* insight

Para muitos pais esse é o estágio mais agradável de todos, pois é nele que as crianças desenvolvem a personalidade e a independência. Elas pensam sozinhas, praticam hobbies, têm os próprios gostos, aversões e entusiasmos. O ímpeto da descoberta se dirige para coisas que podem durar a vida toda, como o amor pela ciência ou pela arte. Os principais conceitos espirituais estão alinhados com essa fase estimulante.

Embora possa parecer uma palavra árida, o "discernimento" é uma bela qualidade da alma. Vai muito além da separação entre o certo e o errado. Nesses anos, o sistema nervoso é capaz de sustentar impressões sutis de grande profundidade e importância para o futuro. A criança de dez anos é capaz de ser sábia, e, pela primeira vez, seu dom mais delicado – o *insight* pessoal – se manifesta. A criança pode ver e julgar através dos próprios olhos; ela não precisa mais receber o mundo através dos adultos.

Este é, portanto, o primeiro estágio no qual algo como uma lei espiritual pode ser conceitualmente compreendido. Antes disso, a ideia de lei se parece exatamente com uma regra que você tem de obedecer ou pelo menos a qual precisa prestar atenção. Em vez de usar a palavra *lei, os* pais podem transmitir *insights* úteis sobre "como as coisas funcionam" ou "por que as coisas acontecem do jeito que acontecem" ou "como fazer as coisas para se sentir bem". Essas são maneiras de ensinar mais concretas e centradas na experiência. Entretanto, mais ou menos por volta dos dez anos, o raciocínio abstrato se torna independente, e o verdadeiro mestre passa a ser a experiência, e não uma figura de autoridade. Por que isso acontece é um mistério espiritual, pois a experiência está presente desde o nascimento, mas, por alguma razão, o mundo de repente fala à criança; ela é capaz de captar o impulso interior e discernir por que algo é ou não verdadeiro, por que a verdade e o amor são importantes.

O INÍCIO DA ADOLESCÊNCIA – DOS 12 AOS 15 ANOS
PALAVRAS-CHAVE: *Autoconsciência, experimentação, responsabilidade*

A infância termina no início da adolescência, tradicionalmente uma época penosa e difícil. Para as crianças, a inocência de repente se transforma na puberdade e na chegada de necessidades que os pais não mais podem satisfazer. Os pais se dão conta de que precisam se desapegar dos filhos e acreditar que eles são capazes de lidar com um mundo de responsabilidades e pressões, ao qual os próprios pais talvez mal tenham se ajustado sem se sentirem inseguros.

O aspecto crítico neste caso é que agora as lições da infância já deram frutos doces ou amargos. A criança capaz de seguir em frente com um genuíno conhecimento espiritual refletirá o orgulho e a confiança dos pais; a criança que tropeça na confusão, em experiências irresponsáveis e cede à pressão dos companheiros também estará refletindo a confusão oculta da sua criação. A adolescência é notoriamente uma época de inibição, mas pode ser também uma época de autoconsciência.

A experimentação é uma parte natural da transição da infância, mas não precisa ser irresponsável e destrutiva. A questão agora é se a criança possui um eu interior que pode ser usado como guia. Esse eu interior é a voz silenciosa, que encerra o poder de escolher entre o certo e o errado, com base em um profundo conhecimento da vida. Esse conhecimento não está restrito a nenhuma idade. Um bebê recém-nascido o possui tão plenamente quanto um adulto. A diferença é que o adulto cultivou o comportamento que acompanha o guia interior. Se você ensinou seu filho a prestar atenção ao próprio silêncio, não existe perigo em deixá-lo sair no mundo quando deixa de ser criança. Com efeito, é uma experiência alegre (mesmo que de vez em quando aterrorizante) observar a expansão da autoconsciência do seu filho, enquanto ele experimenta o vasto conjunto de opções que a vida tem a oferecer.

ENSINANDO A DISTINGUIR O CERTO DO ERRADO

Como todos fomos criados em uma sociedade que atribui tão pouco valor à vida espiritual, pode ser confuso imaginar o que significa ser um mestre espiritual para seu filho. Em que isso difere, por exemplo, de ser meramente mãe ou pai bons e carinhosos? Para demonstrar a diferença, examinemos uma questão crucial que surge com relação a todas as crianças: ensinar a distinguir o certo do errado.

Acredito que todos concordamos que a antiga prática de ensinar repreendendo e punindo deva ser evitada. Posicionar-se como uma autoridade punitiva só faz enfatizar dilemas morais que você não resolveu para si mesmo. As crianças rapidamente detectam a lacuna entre o que dizemos como pais e a maneira como nos comportamos. Elas podem aprender a nos obedecer em função do medo de serem punidas, mas, no nível emocional, elas intuem que o pai ou a mãe que precisa usar ameaças e coerção não é um modelo do que é "ser bom".

Todos sabemos que, apesar das nossas melhores intenções, surgem ocasiões em que somos tentados a punir os filhos simplesmente por estarmos exasperados ou frustrados. Se examinarmos com mais atenção esses momentos, perceberemos que estamos usando a punição para resolver problemas que não estão resolvidos em nosso coração. Nós realmente acreditamos que é possível sermos verdadeiramente bons o tempo todo? Temos medo de um Deus que nos punirá se formos maus? O mal é uma força diante da qual nos sentimos impotentes, incertos quanto ao fato de a bondade poder enfrentá-lo neste mundo?

As fragilidades da nossa vida espiritual vêm à tona na maneira como decidimos ser pais. Não há como fugir disso, e mesmo se você tenta ser carinhoso e delicado com seus filhos, certamente surgirão ocasiões em que dúvidas o assaltarão. Ser um mestre espiritual transcende a maneira como você se comporta. Você está aqui para transmitir verdades sobre a natureza da vida espiritual.

A maneira mais fácil de ensinar o significado do espírito é criar uma atmosfera na qual o espírito é soprado como amor. Ter um bebê é um ato tão grande de graça que todo pai ou mãe quer retribuir a dádiva inúmeras vezes. Este é um impulso que senti intimamente. Consegui adquirir a confiança para escrever este livro porque meus dois filhos permitiram que eu aprendesse as Sete Leis Espirituais através deles. Por causa da sua inocência, as crianças são mestres implacáveis

da verdade e do amor. A menos que você crie seus filhos no total espírito do amor, as leis que você acha que está ensinando se tornarão regras inertes que seu filho jogará fora tão logo deixe de existir uma autoridade que exija obediência.

Desde bem cedo na vida dos nossos filhos, minha esposa e eu descobrimos que estávamos instintivamente seguindo certas práticas que, somente mais tarde, se consolidaram para nós em princípios:

- Ensinamos aos nossos filhos a entender o espírito como uma realidade, a acreditar em uma fonte infinita de amor que os sustenta carinhosamente. *Essa era nossa definição ativa de Deus.*

- Não exercemos nenhum tipo de pressão sobre eles para que alcançassem o sucesso convencional. *Essa era nossa maneira de dizer a eles que o universo os prezava por eles serem quem eram, e não pelo que faziam.*
- Nunca sentimos a necessidade de puni-los, embora fizéssemos ver muito sinceramente aos nossos filhos quando estávamos desapontados, zangados ou magoados. *Essa era nossa maneira de ensinar através do exemplo, em vez de através de regras.*
- Sempre nos lembrávamos de que nossos filhos eram dádivas do universo e fazíamos com que eles soubessem que nos sentíamos assim. Dizíamos a eles que sentíamos ser um privilégio e uma honra ajudar a criá-los. Nós não éramos os donos deles, nem os possuíamos. Não projetávamos neles nossas expectativas. Nunca sentimos a necessidade de compará-los – para melhor ou pior – com ninguém. *Essa era nossa maneira de fazer com que eles se sentissem completos.*
- Nós lhes dizíamos que eles tinham dons que poderiam modificar a vida de outras pessoas. Também lhes dizíamos que eles eram capazes de mudar e criar qualquer coisa que quisessem em sua própria vida.
- Falamos com eles desde cedo sobre o tipo de sucesso que importa. Criar metas valiosas que fossem significativas para eles, metas que lhes trouxessem alegria. *Essa era a melhor maneira que conhecíamos de levar alegria e significado para os outros.*
- Finalmente, nós estimulávamos seus sonhos. *Essa era nossa maneira de dizer aos nossos filhos que deviam confiar em seus desejos, a estrada real que conduz ao mundo interior.*

Sem que fôssemos pais perfeitos, e, é claro, afastando-nos muitas vezes dos nossos ideais, minha mulher e eu encontramos uma maneira de criar nossos filhos através da inspiração. Mostrar como estar "em espírito" é o verdadeiro significado da palavra *inspirado*, ou seja, "respirar no alento de Deus". E esse exemplo também mostra o que significa ter entusiasmo, que deriva da expressão grega *en theos*, "em Deus".

Este último ponto é provavelmente o mais importante. Na qualidade de pais, se vocês realmente querem transmitir leis espirituais aos seus filhos de uma maneira prática, precisam saber se estão ou não sendo bem-sucedidos. A maneira mais fácil de descobrir isso é verificar se seus filhos estão inspirados e entusiasmados. A inspiração, o entusiasmo e a alegria são qualidades espirituais. Sem elas, não existe vida espiritual em nenhuma idade.

Esta é uma oportunidade para expressar minha profunda gratidão para com minha esposa, Rita, cujo instinto para o amor e a ternura sempre abriu o caminho para mim. Ser conduzido pelos seus instintos espirituais também implicou em coisas que *não fazíamos* como pais. Não exigíamos obediência nem nos impúnhamos como autoridades. Não fingíamos sempre saber as respostas. Não reprimíamos nossos sentimentos nem dizíamos aos nossos filhos o que era bom que eles fizessem. E procurávamos todos os dias criá-los para que vivessem a própria vida e não a vida que lamentávamos não ter vivido.

Todas essas práticas podem ser resumidas em um preceito: *Toda criança precisa da maior quantidade possível de amor amadurecido que você possa dar.* O que torna o amor amadurecido – e não apenas adulto – é a intenção espiritual consciente por trás dele. O nascimento de um bebê nos projeta como mestres do espírito. Depois, confiamos na graça do amor, que orienta nossas intenções nos anos seguintes. O espírito nos eleva acima da nossa fragilidade individual, e, ao fazer isso, ele ensina aos nossos filhos as lições mais profundas e valiosas.

SEGUNDA PARTE
A PRÁTICA DAS SETE LEIS ESPIRITUAIS

Existem dois legados duradouros que podemos deixar para nossos filhos. Um deles, raízes; o outro, asas.

Hodding Carter

Se você começar quando seus filhos forem bem pequenos, você pode inscrever as Sete Leis Espirituais na sua rotina familiar. Se isso for feito de maneira natural, sem força ou pressão, seus filhos crescerão com exemplos vivos de como o espírito torna a vida bem-sucedida.

A compreensão da criança do significado das leis aumentará com o tempo. Lembre-se de que as crianças aprendem basicamente com o que você é e não com o que você *diz*. Sua prática pessoal é sempre a influência mais positiva que você pode exercer. Os filhos precisam de você como modelo e exemplo; observar você é a prática deles desde bem pequenos. Se eles virem você crescendo, mudando e descobrindo mais significado e alegria em sua vida, a expressão "estar em harmonia com o universo" assumirá uma força real. É isso que eles irão querer para si, mesmo que não compreendam completamente os princípios envolvidos.

Nas páginas seguintes delineei um programa cotidiano para a família. Cada dia da semana é dedicado a uma única lei, começando pelo domingo e com a Lei da Potencialidade Pura. Na nossa família costumamos passar algum tempo diariamente discutindo o significado das leis, e concordamos em procurar exemplos de como cada lei funcionou para nós a cada dia.

De um modo geral, toda prática espiritual está centrada na vigilância. Ao simplesmente prestar atenção às Sete Leis Espirituais, invocamos o poder organizador delas para nossa vida.

A rotina de cada dia também encerra três atividades que ajudam a concentrar a atenção na lei escolhida para aquele dia. No domingo, as três atividades são a meditação silenciosa, a comunhão com a Natureza e a prática do não julgamento. Todos na família, filhos e pais, concordam em dedicar algum tempo a essas atividades; o ideal é que esse tempo seja compartilhado por toda a família.

Essas três atividades não duram mais do que alguns minutos, ao todo, no máximo meia hora. De qualquer modo, prestar atenção não é uma questão de tempo e sim do que fazemos de percepção. Precisamos apenas de uma fração de segundo para repararmos em uma coisa bonita. Não é preciso tempo algum para pararmos de julgar se os outros estão certos ou errados.

O ponto máximo de cada dia é a hora do jantar, quando conversamos sobre o que fizemos e observamos durante o dia. Essa discussão é casual e espontânea. Quem tem vontade de falar assim o faz, em poucas ou muitas palavras, da maneira como se sentir mais à vontade. No início, enquanto as Sete Leis Espirituais forem novidade, vocês, na qualidade de pais, podem ter que usar um pouco de persuasão para estimular seus filhos a fazer comentários, mas em pouco tempo eles entrarão no ritmo. Afinal de contas, esse é o momento que eles têm para serem ouvidos, para receberem a atenção de vocês de uma maneira totalmente positiva.

DOMINGO

É O DIA DA POTENCIALIDADE PURA.

Hoje dizemos aos nossos filhos,
"Tudo é possível, não importa o que seja".

No domingo concordamos, na qualidade de pais, em fazer o seguinte com nossos filhos:

1. Orientá-los durante alguns minutos em uma meditação silenciosa.
2. Inspirá-los a apreciar a beleza e a maravilha da Natureza.
3. Mostrar-lhes as possibilidades ocultas nas situações familiares.

Qualquer pessoa consegue contar as sementes em uma maçã; ninguém é capaz de contar as maçãs em uma semente.

Anônimo

No domingo a família presta atenção à ideia de que tudo é possível. O campo onde tudo é possível é o espírito; essa é nossa fonte. Dentro de todo mundo existe a semente da criatividade, capaz de crescer em qualquer direção. Nada nos limita a não ser nós mesmos, pois o aspecto mais verdadeiro de cada pessoa é seu potencial ilimitado.

Quando nos conectamos com nossa fonte ativamos todas as possibilidades da vida cotidiana. Na prática, isso significa que todos passamos algum tempo experimentando o campo silencioso da consciência pura. As crianças precisam aprender que o silêncio é o lar do espírito. Todas as outras vozes falam em voz alta, mas o espírito se comunica sem emitir um único som.

Estar em contato com o campo de todas as possibilidades significa que você vivencia a autorreferência. Ou seja, você busca orientação dentro de si mesmo. A autorreferência traz a realização do espírito que não pode ser alcançada através do sucesso material. O motivo de querermos o sucesso é alcançarmos nosso potencial de felicidade e sabedoria, e não apenas nosso potencial para ganhar e adquirir. Domingo é um bom dia para ancorar toda a semana nessas convicções.

No caso das crianças, é mais eficaz usar o vocabulário do coração do que palavras abstratas, como *potencialidade*. "Escute seu coração, seu coração sabe das coisas" é um bom começo, junto com frases como as seguintes:

Ponha seu coração em tudo que você pode ser.
Em seu coração, tudo é possível.

Em seu coração, você sabe que as coisas vão acontecer da melhor maneira possível.
Se seu coração for puro, você poderá atrair qualquer coisa para você.
Não importa o que esteja acontecendo ao seu redor, em seu coração você saberá que vai conseguir.

Devemos esclarecer que *coração* não é apenas uma outra palavra para emoções. O coração é um centro espiritual. Ele encerra silêncio e sabedoria. Não há dúvida de que as emoções mais verdadeiras, como o amor e a compaixão, emanam dessa fonte, mas queremos que nossos filhos situem o coração como um lugar onde reside o senso do "Eu sou". Esta é a semente da inspiração, a partir da qual fluem todas as possibilidades; ele é nossa conexão com o campo do potencial puro. Ninguém que não sinta no fundo de seu coração que é um sucesso é capaz de alcançar o sucesso.

DOMINGO COM AS CRIANÇAS

As três atividades para o domingo são meditar, apreciar a maravilha e a beleza da Natureza e perceber novas possibilidades em situações familiares.

1. Os adultos da família devem praticar um período de meditação silenciosa que dure de 15 a 20 minutos pela manhã e à tarde. As crianças pequenas podem ser pouco a pouco induzidas a essa prática. Quando seus filhos estiverem com seis ou sete anos, comece a ensinar-lhes que é saudável ficarem sozinhos e quietos durante alguns minutos por dia. Antes dessa

idade, não faça nenhuma tentativa no sentido de reprimir a energia e o entusiasmo naturais do seu filho.

O silêncio interior é uma experiência delicada que só pode florescer quando o sistema nervoso começa a amadurecer. Até seus filhos completarem mais ou menos doze anos, basta que você estabeleça um exemplo pessoal. Em vez de insistir para que a meditação se torne parte da rotina cotidiana, espere o surgimento de oportunidades tranquilas e convide a criança para se sentar quieta com você (de preferência quando estiver meditando) e respirar tranquilamente de olhos fechados. Peça a ela que sinta o ar entrando e saindo suavemente; você pode pedir a uma criança mais velha que visualize a respiração como uma luz suave, branco-azulada, entrando e saindo das narinas. Diga algo estimulante. Demonstrar que você gosta de meditar é uma boa maneira de oferecer incentivo.

Cinco minutos desse exercício respiratório simples é suficiente no início. Aumente o tempo para 15 minutos quando as crianças tiverem de 10 a 12 anos.

Não fique impaciente se seu filho não quiser se sentar ao seu lado todas as vezes que você convidá-lo a fazer isso. Se a criança ficar muito irrequieta, deixe que vá embora, enquanto você continua a meditar. O exemplo do seu prazer atrairá seu filho naturalmente para a prática da meditação.

Como deve ser a prática da sua meditação? Sugiro a prática da meditação respiratória que acabo de descrever ou a Meditação do Som Primordial.

A meditação destituída de conhecimento perde metade do seu valor; por conseguinte, qualquer coisa que você diga aos seus filhos a respeito dos benefícios da meditação será extremamente estimulante. O silêncio interior proporciona a clareza mental; ele faz com que valorizemos nosso mundo interior;

ele nos leva a mergulhar interiormente em direção à fonte da paz e da inspiração quando nos vemos diante de problemas e desafios.

2. A Natureza sopra o alento do espírito. Sua beleza reflete o encantamento da nossa alma por estar aqui. Assim, quando você passa algum tempo em um ambiente natural – caminhando no parque, percorrendo uma trilha selvagem, fazendo um piquenique na praia ou na montanha – a criatividade infinita pode ser percebida em cada minúscula flor. Aprecio imensamente o ditado "O que Deus pode nos dar só é limitado pela nossa capacidade de apreciar Suas dádivas". No que diz respeito ao sucesso, essa afirmação é totalmente verdadeira. Você só consegue enxergar até onde sua visão o permite. A Natureza é o lugar perfeito para expandir seu horizonte.

As crianças adoram ser inspiradas pelas maravilhas da Natureza, e você pode apoiar essa experiência salientando como a Natureza nos faz sentir expansivos e livres. A sensação de "Eu posso fazer qualquer coisa" surge naturalmente quando contemplamos o imenso céu aberto ou a magnificência de uma altaneira cordilheira. As pessoas que se concentram nos aspectos físicos da Natureza tendem a pensar constantemente em como os seres humanos parecem pequenos e insignificantes na vasta escala da Natureza, mas isso não é verdade no plano espiritual. Espiritualmente, as infinitas paisagens do mundo natural nos fazem perceber que podemos nos harmonizar com o infinito.

3. Cada segundo de tempo é uma porta para possibilidades ilimitadas. No entanto, se você não estiver aberto para elas, as possibilidades se restringem. É importante, portanto, ensinar às crianças a procurar algo novo em uma situação bem co-

nhecida. O que é preciso para vermos coisas novas? *Insight* e percepção, não fazer julgamentos e estar disposto a se abrir. O sucesso se baseia nessas coisas, e você estará ensinando todas elas sempre que fizer a simples pergunta: "Existe alguma outra maneira de olhar para isto?"

Sempre existe. Um amigo meu, por exemplo, foi convidado recentemente para jantar na casa de umas pessoas. Ao entrar na casa, lhe disseram que não se importasse se Claudia, a criança mais nova da família, não comesse. "Temos problemas com ela. Ela tem seis anos e simplesmente se recusa a comer", disseram os pais. Quando meu amigo se sentou para jantar, Claudia imediatamente deu início ao seu padrão de "Eu não gosto disso", "O que é isso?" e assim por diante. Uma rotina desgastante que os pais acolhiam com um "Nada pode ser feito a respeito". Em outras palavras, todas as pessoas envolvidas estavam externando os pensamentos que nos mantêm aprisionados em padrões velhos e não criativos.

Seguindo um impulso repentino, meu amigo se inclinou na direção de Claudia e lhe sussurrou: "A comida do seu prato parece tão boa que eu a quero para mim." Ele traçou com a faca uma linha no centro do prato da menina. "Muito bem. A comida que estiver deste lado da linha é minha, e você não pode tocar nela de jeito nenhum." Tudo isso foi dito em tom de brincadeira. Claudia arregalou os olhos. Ela sempre enfrentara o jantar como uma provação, uma luta de poder com os pais. Agora, meu amigo o transformara em um jogo. Ele olhou para o outro lado e disse bem alto: "Claudia não está comendo minha comida, está? Ela não faria isso, faria?"

É claro que Claudia não pôde deixar de comer o mais rápido possível tudo que estava no "lado dele" do prato. A tentação de participar do jogo era grande demais. Este é um bom exemplo de como a reformulação de uma situação permitiu que todo mundo, inclusive os pais, transpusessem antigas barreiras.

Sem que o notemos, cada um de nós impõe limites à maneira como percebemos o mundo. Nós nos vemos diante de possibilidades infinitas e ilimitadas, mas não as aproveitamos – ou raramente as aproveitamos – porque nosso condicionamento passado está sempre nos forçando a fazer julgamentos. Nossa mente diz:

Não gosto disso.
Não consigo compreender isso.
Já sei tudo a respeito disso.
Isso está errado (ou é mau, ou chato).
Nada pode ser feito a respeito.

Este é um bom dia para detectar quando você e seus filhos fizerem uma dessas declarações em voz alta. Elas acontecem o tempo todo. Alguém ou algo cruza nosso caminho, e imediatamente emitimos um julgamento, o que corta qualquer fluxo de novas possibilidades. Por conseguinte, quando você notar um caso desse tipo, mesmo que isolado, modifique sua percepção. Peça aos seus filhos que procurem uma nova qualidade em si mesmos ou em outra pessoa; peça-lhes que expandam a imaginação. Faça um convite à fantasia, à experimentação, à abertura.

Se você conseguir ensinar apenas isso, você fará mais em prol do sucesso dos seus filhos do que através de qualquer outro método. Sucesso é sinônimo de aproveitar oportunidades que os outros deixaram passar.

Tão logo as crianças estejam prontas para conceitos mais abstratos, é extremamente proveitoso ensinar-lhes a não emitir julgamentos. Não julgar significa não atribuir rótulos às outras pessoas e considerar o que elas fazem "certo" ou "errado". Este é o primeiro passo em direção a atitudes maduras de aceitação, não violência e compaixão pela vida.

Emitir julgamentos não faz parte da abordagem à vida empreendida por uma pessoa espiritualizada. Todos projetamos a negatividade sobre outras pessoas, mas fazemos isso porque confundimos nossas reações emocionais com a realidade. Se os outros nos fazem ficar zangados, angustiados, com medo, e assim por diante, sentimos que essa negatividade é responsabilidade deles. Espiritualmente, a Lei da Potencialidade Pura nos diz que ninguém pode ser rotulado ou julgado porque a vida é totalmente constituída de possibilidades; tudo está dentro de nós. Nada na nossa natureza pode ser criado ou destruído por alguém "lá fora". A pessoa que faz você ficar zangado pode exercer o efeito oposto em outra pessoa. Assim, vale a pena dedicar algum tempo, no decorrer desse dia, para ver todas as pessoas sob a luz do amor, para não emitir julgamentos, para não dizer que ninguém é mau ou está errado.

Não é fácil transmitir a ideia de não julgamento para crianças pequenas. Até mesmo uma declaração simples como "Não diga que seu irmãozinho está errado" se torna confusa, porque pode facilmente ser interpretada como uma reprimenda; sempre que você usa a palavra *não* ou pare, você está passando adiante seus julgamentos. É bem melhor adotar uma abordagem positiva: peça a cada criança que descubra uma coisa boa ou agradável em outra criança. Faça disso a tarefa do dia e depois converse sobre o assunto na hora do jantar.

Na verdade, nenhum de nós deve se considerar amadurecido demais para essa simples brincadeira, mas você pode começar a pedir às crianças mais velhas que assumam a responsabilidade pelo que sentem. Isso significa que elas devem começar a aprender a diferença entre "Você fez uma coisa que me fez ficar zangado" e "Tenho sentimentos de raiva com os quais eu tenho que aprender a lidar".

Não exerça muita pressão sobre esse ponto, contudo, visto que é preciso uma vida inteira para que consigamos assumir com responsabilidade madura o que sentimos. A projeção é uma força poderosa. Mas se você ensinar a aceitação e a tolerância, transmitindo a ideia de que todo mundo está fazendo o melhor que pode e que todos devem ser vistos sob esse prisma, e não como esperamos que eles se comportem, você estará oferecendo uma grande contribuição para o ensino da Primeira Lei.

REFLEXÕES SOBRE
A LEI DA POTENCIALIDADE PURA

*Tudo flui a partir do manancial infinito, que é Deus. Deus é
parte de toda criança, ligando toda criança ao manancial.*

*Como Deus tudo cria, a criança deve ser estimulada
a acreditar que tudo é possível na vida dela.*

*Todo mundo pode entrar em contato com a semente
de Deus que existe dentro de si. Cada dia traz consigo
a oportunidade de regarmos essa semente e a vermos crescer.*

*Quando as crianças se sentirem pequenas e fracas,
lembre-lhes que são filhas do universo.*

SEGUNDA-FEIRA

É O DIA DA DOAÇÃO.

Hoje dizemos aos nossos filhos,
"Para conseguir alguma coisa,
você deve dá-la de presente".

Na segunda-feira concordamos, na qualidade de pais, em fazer o seguinte com nossos filhos:

1. Convidá-los a dar alguma coisa de presente para outra pessoa da família.
2. Inspirá-los a receber gentilmente.
3. Realizar em conjunto um breve ritual de gratidão pelas dádivas da vida.

Para receber, em primeiro lugar você precisa dar.

LAO-TZU

Neste dia, prestamos atenção às maneiras pelas quais podemos dar aos outros. Como não existe dar sem receber, completamos o ciclo prestando atenção também ao ato de receber. O ato de dar, portanto, é visto como um movimento constante, a circulação de tudo na criação. Criar qualquer coisa implica em tomar uma semente ou inspiração e dar vida a ela. Nesse ato de dar, a semente cresce, os frutos se multiplicam e a inspiração encontra sua forma.

Espiritualmente, o sucesso depende de seguirmos as leis que governam o funcionamento da Natureza, e o ato de dar está entre as leis mais valiosas. Muitos mestres espirituais ensinaram, como diz o iogue Shivananda, que "dar é o segredo da abundância". Não existe nenhum mistério nisso; sempre foi verdade que para obter amor é preciso em primeiro lugar dá-lo, e Deus sempre dá todas as coisas a partir do amor. Quando damos, mostramos nosso entendimento da verdade que o espírito é o grande doador.

Nem sempre é fácil resistir ao anseio de conquistar e acumular riquezas. Essas tendências têm origem na ignorância da lei espiritual. As crianças adoram dar, e o fato de elas começarem a deixar de dar é um reflexo das atitudes que elas percebem em nós. Até mesmo um adulto que repete constantemente "Aprenda a dividir. Seja boazinha e dê um pouco para seu irmãozinho. Seja uma boa menina e você vai receber uma coisa boa" pode estar transmitindo, em um nível mais profundo, seu intenso medo da falta e da escassez, bem como a necessidade do ego de possuir e reter. Essas crenças profundamente enraizadas derrotam o espírito de dar. Dedicar este dia ao ato de dar é bem mais importante do que o que você dá sob o aspecto material.

SEGUNDA-FEIRA COM AS CRIANÇAS

A não ser para crianças bem pequenas, segunda-feira é dia de colégio, de modo que discutimos a Lei de doação durante o café da manhã e na hora do jantar. De manhã, definimos a programação do dia; no jantar, compartilhamos o que realizamos e aprendemos. O mesmo é verdade com relação a todas as outras leis que caem nos dias de semana. (Lembre-se, porém, que os minutos de silêncio praticados no domingo se repetem diariamente, pela manhã e à tarde, quando você faz sua meditação.)

As três atividades da segunda-feira envolvem dar algo para outro membro da família, receber com delicadeza, e realizar um breve ritual de gratidão.

1. Torne um hábito de sua família cada membro dar alguma coisa para outro. Esses presentes não devem ser elaboradamente planejados. Lembrar-se de sorrir, oferecer uma palavra de estímulo ou ajudar em uma tarefa é simples e natural. Também é o que provavelmente irá durar, pois o simples ato de dar dentro de casa cultiva o desejo de servir. O sucesso se combina com a realização, quando encerra a vontade de servir.

Algumas famílias descobrem que a questão de dar, compartilhar e servir pode gerar um grande problema. As crianças gostam naturalmente de dar. É lamentável que as pessoas repitam tão irrefletidamente que "As crianças são egoístas por nascença". O egoísmo resulta do fato de a criança não compreender na verdade como as coisas funcionam. Para uma criança muito pequena, largar um brinquedo é a mesma coisa que perdê-lo para sempre; agarrar um doce é uma reação natural porque a criança pequena não compreende ainda que existe mais de um doce, ou que ele pode ser dividido.

Ao observar meus filhos quando eram pequenos, descobri que o rosto deles se iluminava quando eles tinham a oportunidade de dar, e isso não acontecia porque eles achavam que fossem receber algo em troca. Só começamos a duvidar de que o universo vai nos dar coisas de volta quando nossa mente fica marcada pelo medo, pela carência, pelo abandono e pela ganância. Sem essas marcas, é óbvio que a vida é um fluxo de coisas infinitas, algumas materiais, outras não. Quanto tivemos que pagar pelo ar, pela chuva e pela luz do sol que sustenta nossa vida?

As pessoas que não sabem mais dar reverteram a um estado primitivo de consciência – elas acreditam que se largarem alguma coisa, esta estará perdida para sempre. Elas se esquecem de que só recebemos alguma coisa porque o universo deseja que vivenciemos seu significado interior. Cada recebimento encerra uma lição espiritual. As meras coisas que possuímos não substituem a satisfação, a alegria e a realização interior que devem acompanhá-las.

Você deve se concentrar, junto com seus filhos, na *sensação* de dar. Para garantir que o sentimento seja agradável, trate primeiro o ato de dar como um compartilhar. Até mesmo uma criança de três ou quatro anos é capaz de sentir como é bom dar uma guloseima para um amigo se ela tiver duas. As crianças mais velhas podem aprender a dar coisas menos palpáveis, como um sorriso, uma palavra amável, ou oferecer ajuda a alguém que esteja precisando. Estabeleça essas atitudes como metas do dia e depois discuta o que aconteceu durante o jantar.

No caso das crianças com mais de doze anos, a ênfase mais uma vez se modifica. Elas têm idade suficiente para aprender a dar quando não é fácil, quando tiverem a tentação de reter e ser egoístas. É nessa idade que você pode falar sobre como o apego magoa o coração e faz com que os outros considerem a pessoa egoísta. Aprender a cumprimentar o vencedor de um jogo que acabamos de perder, tratar os desconhecidos com delicadeza e recebê-los em seu grupo, e oferecer ajuda com tato e sem parecer arrogantes são lições apropriadas para as crianças mais velhas.

2. Saber receber com delicadeza é uma arte que não pode ser simulada. Ao mesmo tempo em que é melhor dar do que receber, é muito mais difícil receber do que dar. Recebemos com indelicadeza por sermos orgulhosos, por acharmos que não precisamos de ajuda, esmolas ou caridade, ou ainda por nos sentirmos pouco à vontade. Essas são reações do ego, e você não precisa tê-las depois que se dá conta de que aquele que dá nunca é o doador, assim como quem recebe nunca é o recebedor. Ambos estão no lugar do espírito.

Cada vez que respiramos estamos recebendo um presente, e, ao percebermos isso, vemos que receber algo de outra pessoa simboliza receber de Deus. Cada presente é um gesto de amor que está no lugar do amor divino, e deve ser recebido como tal. No caso das crianças pequenas, isso não é problema – elas adoram receber e não têm nenhuma dificuldade em se demonstrarem radiantes e cheias de gratidão.

No caso das crianças mais velhas, o despertar do ego tolda de certo modo a questão. Todos já experimentamos o relutante obrigado que os pais forçam uma criança a dizer quando ela não está sentindo nenhuma gratidão. Essa atitude só pode ser modificada se fizermos com que nossos filhos continuem a prestar atenção no que sentem ao receber. Se desde cedo elas aprenderem isso, o calor e a felicidade naturais ligados ao receber não esmorecerão. Qualquer pessoa em qualquer idade precisa se sentir grata para demonstrar gratidão. Esses sentimentos podem ser reforçados se ensinarmos aos nossos filhos que todas as coisas têm origem na fonte universal. Todas as vezes que recebemos, obtemos um vislumbre do amor divino, independentemente da pessoa através da qual esse amor esteja atuando no momento.

3. Um ritual de gratidão, do qual toda a família participa, é uma maneira agradável de reconhecer a dádiva da vida. Vocês podem dar as mãos na hora do jantar e agradecer, não apenas pela comida que têm à mesa, mas por tudo que receberam durante o dia. Peça a cada membro da família que diga uma coisa, como "Sou grato pela linda borboleta que vi quando voltava do colégio", "Sou grato porque estamos todos felizes e com saúde", "Sou grato porque consegui um papel na peça do colégio", e assim por diante.

Em muitas famílias, o ritual de agradecimento se deteriorou e a reversão desse fato exige um esforço consciente, e há uma ênfase nesta palavra *consciente*. É preciso que estejamos conscientes para nos lembrarmos de que a vida é uma dádiva, por mais assoberbados que possamos estar por outros pensamentos e atividades. A alegria e o entusiasmo que você sente pelo espírito volta, refletida, para você.

REFLEXÕES SOBRE A LEI DA DOAÇÃO

Todas as coisas boas se movimentam.
Elas não gostam de ficar presas em um único lugar.

No ciclo da Natureza, dar gera receber, e receber gera doação.

Todo mundo já recebeu a maior dádiva de Deus –
o potencial para crescer.

Quando você dá, você demonstra sua apreciação
pela fonte de todas as coisas.

Só retemos aquilo que damos.

TERÇA-FEIRA

É O DIA DO CARMA.

Hoje dizemos aos nossos filhos,
"Quando você faz uma escolha, você muda o futuro".

Na terça-feira concordamos, na qualidade de pais, em fazer o seguinte com nossos filhos:

1. Falar a respeito de alguma escolha que eles tenham feito hoje.
2. Mostrar a eles como nosso futuro foi modificado por uma escolha que fizemos no passado.
3. Explicar o certo e o errado em função da sensação que temos com as escolhas.

São garantidas as bênçãos que nascem das suas boas ações.

Buda

Por ser um termo especializado, coloquei a palavra "carma" entre aspas, mas qualquer exemplo de causa e efeito se enquadra nesse título. Perguntas do tipo "Por que eu deveria escolher isto em vez daquilo?" ou "O que irá acontecer se eu abordar um problema desta maneira em vez daquela?" surgem diariamente na vida das crianças. Elas precisam saber que toda escolha que fazem produz um tipo de resultado que será bom ou mau para elas. Em outras palavras, toda escolha modifica o futuro.

O carma é geralmente interpretado como trazendo recompensas para as boas ações e punindo as más. Os pais transformam isso em um sistema de recompensa e punição, sem ensinar o fato realmente fundamental: a Natureza lida com essas questões. Existe um ditado popular que afirma que "a vida não é justa", quando, carmicamente, a verdade é exatamente o oposto. A vida é totalmente justa. Mas o funcionamento da vida pode ser profundo e oculto, e os efeitos podem seguir as causas em múltiplos níveis. Não cabe a nós julgar o resultado que uma ação merece, e sim observar de perto como funciona o universo de causa e efeito e depois ajustar nosso comportamento a esse funcionamento.

As Sete Leis Espirituais parecem entrar aqui em conflito com a opinião corrente, visto que a Lei do Carma afirma que não existe injustiça, acidentes ou vítimas – todas as coisas estão ordenadas de acordo com um inevitável sistema de causa e efeito cósmicos. O carma não é fatalismo; ele não determina que as pessoas têm que sofrer. O que ele determina é que o livre-arbítrio é absoluto. Não existe nenhum poder divino que nos impeça de fazer más escolhas, e tampouco existe uma cláusula que anule a regra universal "Colhemos o que semeamos".

O carma, portanto, envolve a consciência sob vários aspectos: presenciar como as escolhas são feitas, avaliar o resultado, e ouvir o coração, o lugar onde sutis sinais emocionais indicam quando as ações são certas ou erradas. Todas essas estratégias podem ser transmitidas às crianças quando as ensinamos a fazer escolhas. A escolha, com toda a complexidade que encerra, é vital para o sucesso na vida, pois o sucesso é apenas um nome para os resultados desejáveis que queremos alcançar através de nossas ações.

TERÇA-FEIRA COM AS CRIANÇAS

As três atividades da terça-feira giram em torno da conversa a respeito das escolhas – como as fazemos, como elas modificam nossa vida, quais resultados devemos esperar quando decidimos uma coisa em vez de outra.

1. Converse com cada um de seus filhos a respeito de uma escolha que ele tenha feito hoje. É claro que, neste caso, "o céu é o limite", pois cada momento está repleto de escolhas. Simplesmente estimule-os a dizer o que lhes vier à cabeça. Seja qual for a escolha – fazer um novo amigo, gastar dinheiro com alguma coisa, decidir não brincar com A ou B –, comece a explorar o que acontece quando são feitas as escolhas. Sem estabelecer regras rígidas (que eliminariam a espontaneidade da discussão), você pode começar a ensinar a seus filhos os intricados mecanismos da causa e efeito, do plantar e colher.

Quando uma escolha for trazida à baila, explore-a delicadamente fazendo perguntas como "Como você se sentiu com relação a isso?"; "O que você acha que vai acontecer?"; "O que você vai fazer se acontecer isso em vez do que você espera?". A escolha é algo íntimo e pessoal, e por mais que você se sinta tentado a controlar as escolhas dos seus filhos com relação a amigos, atividades, *hobbies*, matérias do colégio e assim por diante, a melhor maneira de usar sua influência é ensinar seus filhos a fazerem escolhas sensatas e conscientes.

No caso das crianças pequenas, a escolha é feita com frequência de uma maneira direta e sem discernimento. Tão logo aprendem a falar, os bebês automaticamente dizem: "Deixa eu fazer", "Eu quero", e coisas desse tipo. Trata-se da afirmação da vontade, e a vontade gera a escolha. Somente mais tarde a criança começa a perceber que as escolhas geram consequências. O ego não gosta de sair perdendo, e ele seria o senhor absoluto da nossa vida se as ações que não são corretas para nós não provocassem resultados negativos. Desse modo, o carma constantemente nos ensina a discernir entre o que queremos e o que sabemos ser bom para nós.

Este tema surge naturalmente na vida de toda criança. Toda criança quer mais do que obtém, e nossa tarefa é mostrar aos nossos filhos que a escolha não é um fluxo interminável de caprichos voluntariosos. O universo ouve as escolhas a partir da profundidade em que elas são feitas. Escolher o amor e a verdade, por exemplo, é algo muito profundo e gera boas recompensas. Escolher o egoísmo é superficial e traz poucas recompensas.

Não acredito que seja proveitoso utilizar o consagrado ditado "Cada boa ação é sua própria recompensa". Essa afirmação encerra a ideia de um universo cego ou desatento. Os mestres espirituais sempre afirmaram que Deus ou o espírito recompensa a virtude; nada é deixado sem recompensa, no sentido que nenhuma ação acontece no vácuo. O carma é um sistema computacional que devolve o que colocamos, adicionando um pouco da graça. Se tivéssemos uma visão onisciente em todos os níveis, como Deus, sem dúvida aceitaríamos qualquer resultado supostamente negativo, porque perceberíamos que *nada melhor poderia resultar.*

O fato de que toda ação produz o melhor resultado possível é uma lei conhecida como *graça*. *Graça* é a maneira de Deus organizar o tempo e o espaço. Ela possibilita que tenhamos o livre-arbítrio para fazermos qualquer coisa que desejemos, e os resultados de nossas ações, quer agradáveis quer desagradáveis, repercutem em nós no momento ideal para que possamos aprender com o que escolhemos. Em outras palavras, tudo que nos acontece reflete uma amorosa proteção do nosso bem-estar.

As crianças precisam aprender, portanto, que o prazer e a dor não são o guia supremo que define se uma ação é boa ou má para elas. Observando o funcionamento da causa e efeito, a criança pouco a pouco percebe que a vida é um processo de aprendizado em muitos níveis. Frequentemente uma ação pode ser julgada apenas em função de trazer prazer ou dor, mas muitas vezes outros fatores entram em ação.

2. À medida que as crianças vão crescendo, é proveitoso contar a elas histórias a respeito das escolhas que afetaram sua vida. As crianças sabem instintivamente que a vida é uma busca; elas podem ter que aprender que o futuro depende das escolhas que elas fazem, mas emocionalmente elas intuem que os adultos fizeram muitas escolhas importantes. Quando você

falar sobre suas escolhas, não as externas em função do arrependimento. "Eu errei fazendo isso, de modo que vou fazer tudo para que você nunca faça o mesmo" pode ser uma frase repleta de boas intenções, mas seus filhos vão experimentar um pouco de tudo. Isso é inevitável. Além disso, os pais sempre querem que os filhos tenham um número maior, e não menor, de escolhas, e ter mais escolhas pode ser algo sufocante se não for monitorado pela capacidade de escolha.

3. Converse com seus filhos a respeito da sensação de escolher uma coisa em detrimento de outra. É na infância que decidimos pela primeira vez se os resultados são mais importantes do que as emoções. As discussões, portanto, devem assumir um tom íntimo: "Você ganhou o jogo porque não escolheu aquele garoto fraco para o seu time, mas como você se sentiu ao olhar para ele? Como ele se sentiu?", ou "Seus amigos pediram para você matar aula, e agora você está com medo de que estejam achando que você quis puxar o saco dos professores. Mas como você teria se sentido sabendo que estava onde não deveria estar?", ou então "Você não arrumou seu quarto quando eu pedi. Você sentiu alguma coisa com relação a isso?".

O fator crítico com relação a fazer boas escolhas geralmente não é a razão racional para fazer uma coisa em vez de outra, e sim a sensação causada por cada escolha. Isso acontece porque, espiritualmente falando, a intuição é um fator mais sutil do que a razão. A avaliação da causa e do efeito é mais emocional do que intelectual: nosso coração nos diz quando determinada ação é certa ou errada, ou quando ela está em uma zona nebulosa de dúvida.

Você pode ensinar desde cedo seus filhos a observarem se fazer uma coisa errada faz com que eles se sintam mal. Mais tarde, pode-se introduzir o conceito de consciência, e, finalmente, mais ou menos a partir dos doze anos, você pode começar a discutir os aspectos mais abstratos da íntima relação entre ações e resultados. Não estou dizendo para se ensinar que "você terá que pagar se fizer algo errado" – isso implica que vivemos sob a ameaça divina. Não existe nenhuma ameaça divina; o único motivo pelo qual certos resultados negativos parecem surgir do nada é que não estamos em contato com os níveis mais profundos da Natureza. Violamos a lei espiritual através da ignorância.

Por sermos uma sociedade voltada para resultados, na qual os louvores e a fama frequentemente vão para pessoas que alcançaram o sucesso fazendo mal a si mesmas e aos outros, o valor essencial do carma é amiúde menosprezado. Recentemente, no entanto, a noção de "inteligência emocional" entrou em voga, e foi logo relacionada ao sucesso. A inteligência emocional se concentra na empatia; ela nos diz de que maneira determinada ação irá afetar outra pessoa; sentimos de antemão de que maneira essa pessoa vai se sentir. As escolhas realizadas visando o bem-estar de outras pessoas tendem a gerar mais sucesso do que as escolhas feitas exclusivamente em função de um interesse pessoal. Esta pode ser uma descoberta surpreendente em uma cultura materialista, mas é totalmente previsível através da Lei do Carma. Perguntar ao seu filho: "Como você se sente fazendo essa escolha?" e "Como ela fez a outra pessoa se sentir?" é fundamental tanto para a inteligência emocional quanto para o bom carma.

Uma parte vital da inteligência emocional consiste em aprender a adiar a gratificação imediata. As crianças que aprendem a ser pacientes, a esperar pelos resultados em vez de buscar o ganho imediato, alcançam um sucesso muito maior na vida do que aquelas que precisam satisfazer imediatamente todos seus caprichos. Isso é particularmente verdadeiro no que diz respeito aos relacionamentos, visto que aprender a enxergar além das nossas reações imediatas é o primeiro passo em direção à empatia, e na ausência da empatia com relação aos sentimentos da outra pessoa, os relacionamentos duradouros são impossíveis.

Espiritualmente, a inteligência emocional está relacionada a uma questão de grande importância: as fronteiras do ego. Se você sente que é uma pessoa isolada no tempo e no espaço, desligada dos outros, não existe nenhum motivo para que obedeça a outra orientação além de seus impulsos. Mas se você percebe que seu ego não é o verdadeiro você, que seu eu se estende sem limites por toda a Natureza, neste caso você pode se dar ao luxo de agir de uma maneira altruísta, não egoísta e empática porque percebe, no nível mais profundo, que "você" e "Eu" somos um só. Desse modo, as ações não estão limitadas ao que "Eu" quero; os resultados não estão vinculados ao que acontece a "mim". Existe um fluxo global na vida que abarca todas as pessoas em um propósito divino mais amplo. Ensinar às crianças a observar esse fluxo, a perceber como a vida delas se encaixa no universo como uma única célula se encaixa no corpo, é extremamente valioso. As lições de inteligência emocional podem se estender bem além das emoções e avançar em direção à esfera de toda ação e reação.

Do ponto de vista prático, o que fazemos neste dia é observar nossas reações imediatas e depois perguntar: "A situação envolve mais alguma coisa?" Introduza a noção de que cada situação encerra aspectos que vão muito além do que qualquer pessoa consiga perceber. De que modo as outras pessoas encaram a situação? Por exemplo, como a criança que perdeu o jogo se sentiu se seu filho foi o vencedor? Como seu filho se sente quando outra pessoa o magoa? Mostre que é possível sentir empatia colocando-se na pele do outro. Através dessas delicadas instruções sobre como observar o funcionamento das coisas, você pode tornar o carma extremamente real e concreto.

REFLEXÕES SOBRE A LEI DO CARMA

Nenhuma conta deixa de ser paga no universo.

Não chore suas perdas – você só pode perder o que é irreal, e quando isso se for, o real ficará para trás.

Para atrair para si amor e felicidade, faça o possível para atraí-los para os outros.

Se você não vir uma consequência imediata para uma ação boa ou má, seja paciente e observe.

QUARTA-FEIRA

É O DIA DO MÍNIMO ESFORÇO.

Hoje dizemos aos nossos filhos,
"Não diga não – siga a corrente".

Na quarta-feira concordamos, na qualidade de pais, em fazer o seguinte com nossos filhos:

1. Descobrir que pelo menos uma tarefa é divertida.
2. Reduzir o esforço necessário para realizar uma coisa importante.
3. Descobrir as maneiras através das quais a Natureza nos ajudou.

*Coopere com seu destino, não vá contra ele,
não o contrarie. Permita que ele se concretize.*

Nisargadatta Maharaj

A simples frase "Siga a corrente" tem, na verdade, uma grande importância espiritual. O filósofo grego da antiguidade, Heráclito, declarou que a vida é como um rio – não podemos entrar nele duas vezes no mesmo ponto. A existência é sempre nova, mas temos a tentação de aplicar a ela antigas reações. Quando nos percebemos resistindo a alguma coisa – o que basicamente significa que estamos dizendo não – é porque geralmente estamos tentando impor uma antiga crença ou hábito a uma nova situação.

A Lei do Mínimo Esforço nos diz que devemos reconhecer a qualidade nova da vida permitindo que ela se expanda sem que tentemos interferir. Ela nos diz que devemos viver o momento, buscar a ajuda da Natureza e parar de culpar alguém ou alguma coisa extrínseca a nós. Na corrente, o espírito já está organizando os milhões de detalhes que sustentam a vida – desde os infinitos processos necessários para manter viva uma única célula às vastas inextricabilidades do universo em evolução. Ao nos conectarmos ao espírito, cavalgamos nesse poder organizador cósmico e tiramos proveito dele.

Para muitos adultos, contudo, o conceito do mínimo esforço é difícil. Nossa tecnologia está constantemente tentando descobrir maneiras de poupar trabalho através de máquinas mais eficazes, mas transpor essa noção para o nível humano não é fácil. O maior obstáculo é nossa ética de trabalho, que afirma que uma maior quantidade de trabalho gera uma maior quantidade de recompensas. Essa afirmação contém duas falhas. Primeiro, a própria Natureza atua através do mínimo esforço – as leis da física determinam que todo processo, desde o rodopiar de um elétron ao girar de uma galáxia, precisa funcionar de acordo com o dispêndio mais eficiente de energia, com o menor impedimento possível. Segundo, o desenvolvimento humano sempre surge através das ideias, da inspiração e do desejo. Estes ocorrem espontaneamente; nenhuma quantidade de trabalho é capaz de forçar a inspiração, o desejo ou mesmo a continuidade das boas ideias.

Embora seguir o fluxo seja difícil para nós, trata-se de algo que acontece naturalmente com a criança. Dificilmente quaisquer lições nesse sentido se fazem necessárias antes dos seis anos, porque até essa idade as crianças imediatamente adotam o curso de menor resistência – elas vão em direção ao que querem, dizem o que têm que dizer e expressam a emoção que sentem no momento. A principal atividade delas não é trabalhar, e sim brincar. Podemos apresentar as crianças mais velhas às ideias inter-relacionadas de não resistência, não adotar uma atitude de defesa e de assumir a responsabilidade pela maneira como escolhem trabalhar. A aceitação é fundamental porque um grande esforço é empregado sempre que você oferece resistência. O não defender-se está ligado à aceitação, visto que ter que defender seu ponto de vista cria conflito e caos, que envolvem um enorme dispêndio de energia.

Poucos de nós conseguimos resistir à tentação de conseguir o que queremos, mas a Lei do Mínimo Esforço nos diz que podemos ter o que queremos de outras maneiras que não envolvem nem luta nem conflito. Podemos seguir o fluxo do espírito, sabendo que seu infinito poder de organização cuidará das nossas necessidades. Desse modo, a Lei do Mínimo Esforço engloba a fé e a paciência. Todos aprendemos que é através da luta e do esforço que alcançamos o sucesso. Na verdade, é muito mais importante que você tenha fé nos seus desejos. Quando você supõe que as outras pessoas existem para impedir que você consiga o que quer, sua única escolha possível é manter constantemente uma atitude de defesa. Ensinar a uma criança que existe um poder que concede seus desejos e que está bem além do poder das outras pessoas é uma lição valiosa.

O terceiro elemento contido na Lei do Mínimo Esforço é a responsabilidade. As crianças também devem aprender que o sucesso e a realização vêm de dentro delas, e é somente o interior que conta. Cada um de nós é responsável pelo que sente, pelo que deseja e pela maneira como decide abordar os desafios da vida. A maior responsabilidade não é satisfeita quando realizamos uma grande quantidade de trabalho, e sim quando fazemos o trabalho do espírito com uma atitude de alegria e criatividade. Essa é a única maneira pela qual a vida sem luta e esforço se torna possível.

QUARTA-FEIRA COM AS CRIANÇAS

As três atividades da quarta-feira são tornar pelo menos uma tarefa divertida, reduzir o trabalho e procurar maneiras pelas quais a Natureza nos ajude.

1. As antigas escrituras védicas da Índia afirmam que todo o cosmo é um *lila*, ou uma brincadeira dos deuses – querendo dizer que nosso universo é recreativo. Ao descobrir de que modo pelo menos uma tarefa pode ser divertida hoje, você ensina aos seus filhos a maneira divina de abordar o trabalho. Na maioria das vezes, vocês, na qualidade de pais, podem transformar uma tarefa em brincadeira eliminando as pres-

sões que obstruem a diversão. Entre essas pressões estão as advertências, ameaças, a pressão do tempo, a sensação de culpa e a compensação monetária ou outro tipo de recompensa pela realização do trabalho. Apesar da ética pessoal arraigada de cada um, existem certas verdades espirituais relacionadas com o trabalho:

> O espírito não irá culpá-lo porque você não fez o trabalho.
> A vida não depende de alguma coisa ter sido feita ou não.
> O trabalho não é a fonte da felicidade.
> É sua atitude com relação ao seu trabalho, e não a tarefa em si, que vem em primeiro lugar.

Desse modo, a tarefa que espera para ser feita quando você está se sentindo relaxado e à vontade com relação a ela é uma tarefa bem-feita. O exato oposto dessa atitude é o perfeccionismo. Este tem sua origem no medo e no controle. Ele mascara o sentimento oculto: "Não vou sobreviver se não fizer exatamente o que Deus quer que eu faça", onde está implícita a ideia de que Deus é um capataz frio e punitivo.

Na verdade, Deus quer que você desfrute este universo recreativo, e o quanto antes você ensinar a seus filhos que essa é uma atitude adequada, mais oportunidades você estará dando a eles de serem bem-sucedidos. As pessoas bem-sucedidas gostam do que fazem. Elas descobriram que relaxar é a única maneira de permanecerem "no fluxo". O relaxamento é o pré-requisito para a expansão interior que permite à pessoa expressar sua fonte intrínseca de inspiração e alegria.

Tendo compreendido isso, crie um exemplo para seus filhos transformando qualquer tarefa – passar o aspirador no tapete, arrumar o quarto, cortar a grama – em uma brincadeira ou uma fonte de estímulo. Você pode cantar uma música enquanto coleta o lixo ou compor um poema enquanto lava a louça.

As brincadeiras exigem um pouco mais de criatividade: "Nós não vamos apenas passar o aspirador hoje, vamos procurar fantasmas. Vocês não sabiam que os fantasmas fogem dos aspiradores? Eles os detestam." Começando assim, faça com que um dos seus filhos seja o fantasma. Depois que o "fantasma" se esconder, a criança que está com o aspirador vai até o aposento escolhido e tenta fazer com que o fantasma saia do quarto passando o aspirador embaixo da cama, dentro do *closet*, atrás do sofá etc. Quando o fantasma é encontrado, as crianças trocam de papel e a que estava com o aspirador passa a ser o fantasma no quarto seguinte. (Se você só tiver um filho, recorte um fantasma em uma folha de papel e esconda-o em algum lugar, ou recorte cinco fantasmas e dê um prêmio se mais de um fantasma for encontrado.)

Inventar brincadeiras é uma boa maneira de reverter nossa tendência de esquecer que a vida foi feita para ser uma diversão, refletindo a brincadeira divina do cosmo. O processo de amadurecimento pode ser entorpecedor e até mesmo anestesiante. Para combater essa tendência, procure se divertir com suas atividades, faça da alegria a essência do seu trabalho. Mostre para seus filhos que você está se divertindo, e tão logo uma tarefa deixe de ser divertida ou a brincadeira perca a graça, pare de trabalhar. Não há nada errado com um trabalho bem-feito. Um trabalho realizado com atitude de cansaço, esforço e imposição não vale a pena ser feito. Os resultados do seu trabalho serão toldados pela negatividade proveniente deles.

* * *

2. Reserve alguns minutos para que toda família se concentre em reduzir o esforço e o desgaste. Converse na hora do jantar sobre situações para as quais surgiram soluções muito mais fáceis do que vocês pensaram que seriam. A ideia principal é eliminar a noção, que nos bombardeia de todos os lados, de que a vida é um problema. Sob o aspecto espiritual, a vida não é problemática; nossas atitudes com relação a ela é que são. Seus filhos vão ouvir dezenas de pessoas por dia dizerem que as coisas são difíceis, duras, complicadas, problemáticas e até opressivas. (Se você acha que isso não acontece com as crianças da escola primária, ouça entrevistas realizadas com alunos da terceira e da quarta séries que se queixam da pressão para que sejam bem-sucedidos. Uma pressão que já está frustrando sua oportunidade de serem felizes e forçando-os a enfrentar o estresse em idade inconcebivelmente precoce.)

Reduzir a quantidade de trabalho em uma situação exige por vezes uma solução mecânica, como usar um computador mais possante para resolver um problema técnico. Com maior frequência, no entanto, o que é realmente necessário é uma mudança de atitude. Nada é mais eficaz do que o espírito. Quando você consegue invocar o espírito, você tem maior chance de ser bem-sucedido do que em quaisquer outras circunstâncias. O espírito é sinônimo de plenitude criativa; é por isso que a palavra latina *genius* também significa "espírito".

Na prática, invocar o espírito quer dizer o seguinte:

- Trabalhar de bom humor.
- Abordar as tarefas com confiança relaxada.
- Não se esforçar demais, nem exigir fisicamente demais de si mesmo (por exemplo, ficar acordado até tarde, trabalhar horas extras, não tirar intervalos para des-

canso, não comer e não tomar quantidade suficiente de líquido).
- Meditar regularmente.
- Pedir inspiração; ser paciente enquanto ela não chega.
- Não resistir a mudanças na situação.
- Não exigir que as coisas aconteçam exatamente como você quer.
- Não supor que necessariamente você sabe de antemão a resposta.

Reveja esses pontos na hora do jantar para reforçar os hábitos que você quer que seus filhos adotem.

3. Quando o espírito, ou a Natureza, se propõe a nos ajudar em uma tarefa, sua intervenção é frequentemente silenciosa e desapercebida. Por conseguinte, é bom fazer com que as crianças comecem a perceber esse fato o mais cedo possível. "Você teve uma ideia nova hoje?", "Você ficou surpreso com o fato de uma coisa que achou que ia ser dificílima ter sido tão fácil?". Você pode começar com perguntas desse tipo e depois oferecer seus próprios exemplos. A ênfase deve recair sobre soluções criativas, que façam você se sentir inspirado, por mais triviais que possam parecer. Estimular esse tipo de atitude desde cedo abre o caminho em direção à inspiração nos anos que se seguirão.

REFLEXÕES SOBRE A LEI DO MÍNIMO ESFORÇO

*Esforce-se bastante para organizar sua vida,
mas lembre-se de que o organizador supremo é a Natureza.*

Não tente conduzir o rio.

*A Natureza em seu aspecto mais produtivo
e criativo não trabalha... brinca.*

O melhor trabalho flui sem esforço a partir de nós mesmos.

Oferecer resistência à vida nunca conduz ao sucesso final.

Deixe que os dons do espírito venham a você.

QUINTA-FEIRA

É O DIA DA INTENÇÃO E DO DESEJO.

*Hoje dizemos aos nossos filhos,
"Todas as vezes que você deseja ou quer alguma coisa,
você planta uma semente".*

Na quinta-feira concordamos, na qualidade de pais, em fazer o seguinte com nossos filhos:

1. Relacionar claramente todos os nossos desejos para a semana.
2. Soltar nossos desejos para que a Natureza os realize.
3. Prestar atenção ao momento presente, no qual ocorrem todas as realizações.

Tenha muito cuidado com o que você deseja intensamente, porque você certamente irá consegui-lo.

Ralph Waldo Emerson

Tornar nossos desejos realidade é a essência do sucesso e todos nós aprendemos a fazer isso desde crianças. O desejo é uma questão complicada. Ele dá origem a perguntas ocultas a respeito de o quanto merecemos, de quão bons realmente somos, se Deus quer que sejamos bem-sucedidos, e assim por diante. Na verdade, as perguntas são tantas, que nenhum pai ou mãe consegue responder a todas elas de antemão. O sucesso e o fracasso são experiências extremamente pessoais, e estão intimamente ligados a quem você acha que realmente é.

Por conseguinte, nós, pais, queremos formar uma base o mais forte possível de autoestima para sustentar as múltiplas experiências de sucesso e fracasso que nossos filhos terão enquanto crescem. Espiritualmente, o desejo nunca é negativo; nascemos criaturas de desejo. Sem ele, não iríamos querer nos desenvolver. Outras criaturas não precisam querer se desenvolver, porque seu processo é puramente genético; no caso dos seres humanos, contudo, querer crescer leva a mente em direção à fonte do amor, da paz e do poder infinitos, que é a meta da vida.

As crianças precisam aprender que o desejo é o caminho em direção a Deus, e que a intenção é a principal ferramenta desse caminho. O que você projeta para si mesmo determina o que você obtém. Embora possa parecer um paradoxo, você precisa ter uma perspectiva do futuro para que o futuro o surpreenda, pois sem perspectivas a vida se reduz ao ritual e à repetição. Um futuro que meramente repete o presente jamais pode causar surpresa.

O processo espiritual que faz com que o desejo se torne realidade não tem lugar tão espontaneamente quanto o desejo em si. Ele precisa ser ensinado. A ausência do sucesso na vida é causada principalmente pela confusão mental. Deixamos de perceber como nossos desejos estão em profundo conflito, por exemplo, e enviamos, involuntariamente, mensagens contraditórias para o universo. Uma pessoa que é um fracasso crônico e deseja ser rica, por exemplo, ao mesmo tempo em que não quer aceitar nenhuma responsabilidade, está enviando um *input* contrário para o computador cósmico. Em geral, a pessoa não consegue perceber isso. Dois desejos opostos coexistem: "Eu quero ser rico" e "Não quero encarar francamente minha situação". A falta de percepção desloca, então, a culpa do fracasso para outra pessoa ou situação, quando, na verdade, a Natureza está dando uma resposta para cada desejo. Acontece apenas que os desejos são fracos, difusos e estão em contradição.

Ter consciência do que você quer é um passo inicial tão óbvio no processo de desejar que chega a ser impressionante o número de pessoas que ignoram esse fato. À semelhança do que ocorre com os adultos, seus filhos têm muitos níveis de desejo dos quais eles talvez não estejam conscientes. Os desejos nem sempre surgem com clareza, e raramente surgem por si mesmos; eles estão anarquicamente misturados com fantasias, sonhos, aspirações e projeções. Além disso, desejar é um processo que surge em ondas contínuas, em que uma se sobrepõe à outra. Todos trabalhamos ao mesmo tempo com grandes desejos que levam meses e anos para se realizar e com desejos menores que se realizam em dias, horas ou mesmo minutos.

Quanto mais específicos seus filhos aprenderem a ser com relação ao que pretendem, mais facilmente eles conseguirão ordenar a vida deles, uma vez que a ordem começa na mente.

As sete leis espirituais para os pais

QUINTA-FEIRA COM AS CRIANÇAS

As três atividades da quinta-feira se concentram em esclarecer os mecanismos do desejo: relacionando ou afirmando o desejo o mais especificamente possível, soltando o desejo no universo, acreditando que os mecanismos da criação irão trazer-lhe um resultado, e permanecendo atentos ao momento presente, que é onde ocorrem todos os resultados.

1. Peça a todos os membros da família que façam uma lista dos desejos da semana seguinte e a afixem na porta da geladeira. (Você pode começar essa atividade quando a criança está com nove ou dez anos; as crianças menores iriam interpretar a ideia como uma espécie de lista para Papai Noel, visto que ainda não conseguem compreender o mecanismo da intenção.)

Ao orientar a lista dos seus filhos, faça perguntas estimulantes, como "O que você mais deseja para si mesmo nesta semana?"; "O que você mais deseja para outra pessoa?"; "O que você quer que aconteça no colégio?". Procure evitar a tendência de que a lista se torne simplesmente uma série de aquisições – uma bicicleta nova ou um jogo de computador.

Em vez disso, saliente o fato de que o universo está sempre nos trazendo um fluxo de resultados e recompensas que emanam dos nossos desejos e anseios. Os desejos e anseios são como sementes, e as coisas que nos acontecem brotam dessas sementes. Algumas sementes levam um longo tempo para brotar – a criança que se sente inspirada a tocar piano pode estar plantando uma semente que irá crescer a vida inteira, por exemplo.

Todos trabalhamos simultaneamente com grandes e pequenos desejos. Nem todos podem se tornar realidade ao mesmo tempo. Cada desejo tem seu tempo próprio, sua maneira particular de se tornar realidade.

Estimule seus filhos a querer a felicidade e a realização, a ausência do conflito e da luta, e outras recompensas espirituais como desejos fundamentais. Mas estimule também o brotar de sementes que você considere valiosas em qualquer nível – um talento florescente, uma boa tendência no colégio ou nos relacionamentos pessoais, mostrar-se menos tímidos ou melhores em um certo jogo ou matéria, por exemplo.

E o que fazer com relação às crianças mais novas que não estão prontas para fazer listas ou pensar nos desejos como uma intenção? Experimente uma abordagem mais concreta: plante efetivamente uma semente de feijão entre dois pedaços de mata-borrão e mostre a elas o milagre da germinação. Transplante então a semente e diga às crianças que se elas querem que a semente brote, elas precisam regá-la e cuidar dela. A metáfora da semente pode ser introduzida em qualquer idade, visto que está diretamente relacionada com a mecânica da Natureza.

2. Liberar o desejo não é a coisa mais fácil das crianças entenderem, especialmente se elas tiverem adquirido o hábito de encarar os pais como a fonte de todas as coisas que querem. Muitos pais, que se veem diante de filhos que tentam o tempo todo obter algo deles, ficariam horrorizados diante da ideia de ensinar a eles a querer mais. A questão é querer *com mais eficácia*. Soltar um desejo no universo faz parte do ser eficiente, porque fazer com que os desejos e as vontades se tornem realidade nunca está exclusivamente nas mãos de alguém.

O sucesso vem de quaisquer, e de todas, as direções.

Tão logo você se der conta disso, você pode ensinar aos seus filhos o princípio da expectativa paciente. Ou seja, uma vez que você saiba o que quer, você se mantém relaxado com relação a isso. Os desejos superficiais e corriqueiros simplesmente irão desaparecer, mas os desejos sinceros e profundos serão alimentados pela Natureza. Diga aos seus filhos que os desejos mantidos em segredo no coração se tornam realidade mais rápido do que aqueles que constantemente anunciamos, seja falando sobre eles, seja fazendo exigências aos outros com relação a eles.

3. A qualquer momento do dia, algum desejo está em vias de se tornar realidade. Antigas sementes que plantamos (e das quais talvez nos esqueçamos) estão promovendo resultados, combinados com os primórdios de resultados maiores que estão por vir. A ideia é tornar seus filhos conscientes de que o universo (ou o espírito, ou Deus) está sempre à escuta; ninguém está sozinho. Somos constantemente observados.

Uma maneira simples de permanecer alerta à resposta do universo é colar etiquetas nas listas colocadas na porta da geladeira. Peça às crianças que relatem de que modo cada desejo está se tornando realidade durante a semana. Você pode fazer uma pergunta estimulante, como "Hoje aconteceu alguma coisa realmente boa com você?" e depois mostre como a resposta se encaixa na lista da criança para aquela semana.

Prestar atenção ao momento presente é o fertilizante que mantém em crescimento a realização do desejo.

A maioria dos desejos são realizados em pequenos estágios, não de uma vez só; isso é especialmente verdadeiro com relação às sementes que, uma vez plantadas, crescem durante anos a fio. Cada passo da realização acontece na época adequada, no momento adequado. Por conseguinte, permanecendo atentos a cada momento, recebemos os resultados dos nossos desejos. Um exemplo simples é a felicidade. Todo mundo quer ser feliz, mas muitas pessoas esperam uma epifania ou repentina explosão de alegria que irá durar para sempre. A verdadeira felicidade não é assim; é uma condição de bem-estar à qual você precisa estar atento. De outro modo, o momento irá passar despercebido ou então será mascarado pelas coisas externas que dão a impressão de estar fazendo você feliz (ou infeliz). Assim, permanecer atento ao momento presente é algo que acontece interiormente; ficar o tempo todo olhando para fora de si mesmo para que os desejos se tornem realidade significa deixar escapar a verdadeira essência da realização.

Muitas crianças mais novas não são capazes de manter a atenção no intervalo de tempo necessário para seguir um desejo, desde que ele surge até sua realização, mas mesmo assim podemos ensinar a elas que querer algo não quer dizer provocar exigências, lamentos e um total desânimo caso a realização do desejo não aconteça de imediato. Ao se colocar atento aos desejos de seus filhos, você assume o lugar da Natureza nesse estágio inicial. Sabendo que você escuta o que eles querem, sentindo-se seguros de que você irá querer satisfazer as necessidades deles, os filhos pequenos são bem preparados para confiar posteriormente na Natureza.

As crianças mais velhas são capazes de observar as coisas mais de perto e durante mais tempo. Elas podem aprender que o desejo é um mecanismo ligado ao coração, que não precisa ser perseguido no mundo exterior. O caminho dos nossos desejos é natural – somos levados a lutar pelas coisas que nos trazem as realizações mais profundas, que estão em harmonia com nossos talentos e aptidões. Desse modo, o desejo se torna o próprio mestre, mostrando à criança como seguir a orientação interior.

"É isso que você realmente quer?" é uma pergunta adequada que você pode começar a fazer às crianças nos últimos anos do primeiro grau, e que permanece relevante por toda a vida. Se a resposta for *sim,* a criança precisa aprender que seu desejo é suficiente para satisfazer Deus; a intenção divina se harmoniza com a intenção humana quando o desejo é puro, claro e atende aos melhores interesses do crescimento espiritual da pessoa. Os desejos que não se tornam realidade não o fazem por carecer de um desses ingredientes ou simplesmente precisar de mais tempo para se realizarem.

REFLEXÕES SOBRE
A LEI DA INTENÇÃO E DO DESEJO

*Honre as boas coisas que você quer para si,
pois o desejo é o caminho em direção a Deus.*

*Cada evento que o surpreende hoje
foi plantado ontem com uma intenção.*

*Enquanto você não soltar seu desejo,
o espírito é incapaz de realizá-lo.*

*Quanto mais específica, clara e pura sua intenção,
mais claro será o resultado que você irá obter.*

SEXTA-FEIRA

É O DIA DO DESAPEGO.

Hoje dizemos aos nossos filhos, "Aproveite a jornada".

Na sexta-feira concordamos, na qualidade de pais, em fazer o seguinte com nossos filhos:

1. Falar a respeito do "verdadeiro eu".
2. Mostrar a eles que a incerteza pode ser positiva – ninguém precisa saber todas as respostas.
3. Ensinar a eles a se sentirem equilibrados com relação às suas perdas e ganhos.

A vida é uma experiência. Quanto mais experiências você tiver, melhor.

RALPH WALDO EMERSON

"Aproveitar a viagem" é uma expressão positiva para uma ideia que não é popular na nossa sociedade. As palavras encerram valores distintos em culturas diferentes, e não existe exemplo melhor do que a palavra *desapego*. Há milhares de anos, particularmente no Oriente, a palavra *desapego* é um termo positivo, transmitindo a habilidade de se encontrar a felicidade além da interação entre o prazer e a dor. No Ocidente, contudo, nossa intensa fixação na realização de metas materiais tornou negativa a palavra *desapego,* associando-a à indiferença, à apatia e ao não envolvimento.

Não há dúvida de que a atitude oriental pode degenerar no fatalismo e na falta de iniciativa, mas em seu significado puro, o desapego pressupõe envolvimento e criatividade intensos, embora implique numa espécie de alheamento com relação ao resultado. Ambos são necessários para a felicidade: o envolvimento apaixonado nos confere a felicidade de usar nossa criatividade; o alheamento reconhece que todos os resultados dependem do universo e não do nosso ego-self vinculado. O homem verdadeiramente sábio não se apega ao drama do mundo material porque se concentra na fonte onde todas as dualidades da luz e das trevas, do bem e do mal, do prazer e da dor efetivamente se originam.

Por ser tão contrário à nossa tendência cultural, o desapego não está entre os princípios mais fáceis de serem ensinados. Podemos começar com o que não é desapego.

Não é desapego dizer que você não se importa.
Não é desapego dizer que algo não é sua responsabilidade quando na verdade é.

Não é desapego deixar de dar atenção às necessidades e sentimentos dos outros.

Não é desapego pensar apenas em si mesmo.

Ensinar aos seus filhos a evitar essas coisas é uma boa maneira de iniciá-los no caminho do desapego. Na maior parte do tempo, somos tentados a nos apegarmos a alguma coisa, uma condição sempre rotulada de "eu" ou "meu". Agarrar-me às minhas coisas, meu emprego, minhas opiniões, meu orgulho e assim por diante é resultado do medo. Tememos que o universo nos seja frio e indiferente e, por conseguinte, reunimos nossas energias ao redor desse "eu" que supostamente nos protege.

A retração do ego, contudo, impede precisamente a livre expansão que nos permite encontrar nossa ligação com o espírito. Isso é frequentemente descrito como a diferença entre o eu e o Eu. O eu é o ego isolado que se agarra à sua pequena realidade; o Eu é o espírito ilimitado que pode se dar ao luxo de não se apegar a nada.

Desapego significa que você vive a partir do Eu e não do eu.

A infância é a época certa para aprender a respeito do Eu, pois esse é o período em que o ego, bem como todas as suas necessidades e receios, começa a se desenvolver. Quando a criança simplesmente sucumbe ao ego, toda a ilusão do "Eu" e do "meu" assume o comando, e será ao mesmo tempo doloroso e difícil desfazer-se dela na idade adulta. O ego precisa ser apaziguado com a ideia de que o "Eu" não precisa ser o ego; a qualidade do eu pode ser uma sensação de unidade com o campo de todas as possibilidades – o que foi chamado de ego cósmico. Desse modo, ao ensinar o desapego, você está convidando seus filhos a se unir a você na dança cósmica.

O desapego é a perspectiva que nos permite aproveitar a jornada da vida. Esse prazer é fundamental para o sucesso.

Também seria bom falar um pouco mais a respeito do conceito do "envolvimento desapegado" – entregando-se com total entusiasmo a tudo que você faz, mas sem esperar controlar o resultado. Sua responsabilidade está restrita às ações que você pratica; o resultado está nas mãos do espírito. No caso das crianças pequenas, este conceito não é efetivamente aplicável, por conter um aparente paradoxo. Como uma pessoa pode estar completamente envolvida e desapegada ao mesmo tempo?

A resposta só pode se situar no campo do Ser. Se você se sente identificado com o espírito, suas ações individuais adotam um padrão mais amplo. Por ser infinito, esse padrão mais amplo – podemos chamá-lo de plano divino de Deus – está além da concepção racional de qualquer pessoa. É através do desapego que demonstramos o plano mais amplo para Deus; é através do envolvimento que mostramos que queremos participar, visto que nada pode inspirar mais paixão do que sermos coparticipantes na criação divina.

A sabedoria da incerteza é um conceito que lhe é intimamente relacionado. O ego tem medo da incerteza, que sempre quer controlar a realidade, mas a partir do ponto de vista do desapego, um universo em constante mudança e modificação precisa permanecer incerto. Se as coisas fossem certas, não haveria criatividade. Por conseguinte, o espírito atua através de surpresas e resultados inesperados. O amor divino da incerteza parece inicialmente contradizer a Lei do Carma, que diz que tudo segue a causa e o efeito. Mas o carma não é a realidade suprema; ele é apenas a mecânica do modo como as coisas funcionam no mundo relativo. A realidade suprema é a expansão da criatividade divina. O universo é, em última análise, um universo recreativo; ele existe para o divertimento divino. Quanto mais compreendermos esse fato, mais poderemos participar da recreação e nos libertar de toda ansiedade com relação ao resultado das coisas. Só alcançamos a paz de espírito quando aceitamos a sabedoria da incerteza.

Se o universo é incerto – como garante o famoso princípio de Heisenberg – então tudo é possível. Podemos nos sentir emocionalmente à vontade com resultados fixos, mas a estabilidade total seria a morte. Sob o aspecto espiritual, a morte não é extinção, é vida congelada, energia que foi forçada a permanecer em um único lugar em vez de fluir em direção a seu objetivo no plano divino. Uma visão completa da vida precisa incluir a compreensão de que qualquer coisa e todas as coisas estão destinadas a acontecer, e nosso papel é acolher a incerteza e a surpresa.

SEXTA-FEIRA COM AS CRIANÇAS

As três atividades da sexta-feira envolvem encarar o mundo de uma maneira mais desapegada: perceber que o "verdadeiro eu" é espiritual, aceitar que a incerteza é inevitável e não deve ser temida, e permanecer equilibrado com relação a ganhos e perdas.

Essas lições são apenas um começo – o desapego aumenta em todos os níveis à medida que a vida espiritual amadurece. O altruísmo e a compaixão são resultados naturais do desapego, bem como o serviço dos outros. Substituir o orgulho pela humildade é um dos frutos do desapego; o estado que Cristo chamou de "estar no mundo mas não pertencer a ele" também. Minha definição predileta de desapego é que ele faz de nós cidadãos do universo. Todas essas coisas estão implícitas nas lições simples de hoje.

1. O "verdadeiro eu" é um tópico fascinante em qualquer idade. As crianças sempre sentem uma forte atração pelas coisas do outro mundo. Histórias sobre Deus, o céu e os anjos são contadas às crianças praticamente desde o berço; contos de fadas criam um mundo paralelo, que as crianças aceitam como imaginário, ao mesmo tempo que o percebem como mais real do que o mundo que as cerca. Tendo isso em mente, você pode falar com seus filhos a respeito do Eu de uma maneira compreensível.

Eis um tipo de fábula adequado para crianças mais novas: "Todas as pessoas têm um amigo invisível que toma conta de tudo que elas fazem. Você tem esse amigo, seus irmãos, sua mãe e seu pai também têm. Deus mandou esse amigo para você. Seu amigo não está no céu, como os anjos, e sim bem aqui, no seu coração. Você sabe o nome do seu amigo? É o seu nome, porque seu amigo é, na verdade, parte integrante de você. Quando você gosta dos seus brinquedos, de mim ou de qualquer outra coisa, seu amigo o ajuda a sentir esse amor. Assim, preste sempre atenção quando se sentir triste ou zangado. Feche os olhos e peça ao seu amigo para lembrar a você que todos o amamos muito, de modo que você deve sempre amar a si mesmo. Seu amigo está aqui para lhe repetir isso sempre."

O Eu é a alma da pessoa, que contempla todos os eventos deste mundo com paz e alegria perfeitas. Ele é a ligação da pessoa com Deus e com o céu (se você optar por usar esses termos) ou com o campo de todas as possibilidades. Seu Eu nunca fica magoado ou confuso: ele sempre o ama; ele está sempre por perto. As crianças se sentirão seguras ao ouvir essas coisas, embora seja preciso um longo tempo para que elas acreditem completamente nelas.

    A identificação total com o Eu requer uma longa experiência em meditação, uma vez que é a partir do silêncio da percepção interior que o Eu é conhecido. Pouco a pouco você começa a perceber que esse Eu não está apenas dentro de você; ele permeia toda a existência. O pequeno eu não consegue compreender a complexidade infinita da vida – por mais desesperadamente que tentemos acreditar no contrário, a realidade não está sob o controle do ego. O Eu organiza a realidade através da observação, da tolerância, da aceitação e, finalmente, da união com a inteligência cósmica que organiza toda a realidade até os mínimos detalhes.

2. Existe sempre um delicado equilíbrio entre dar segurança aos filhos e ensinar a eles que a realidade pode ser extremamente frágil. Este é um dilema que todos os pais enfrentam, e, geralmente, o fazem com ansiedade, receosos de errar, ou por imbuí-los de falsa segurança ou por exagerar ao adverti-los dos perigos e dos riscos da vida.

    Espiritualmente temos que conciliar esses valores opostos para nos sentirmos seguros em um mundo imprevisível e em constante mutação. É impossível desejar e conseguir que a incerteza desapareça; por conseguinte, é profundamente proveitoso chegar a bons termos com ela, compreender que a incerteza encerra sabedoria – a sabedoria de um Criador que quer manter a realidade viçosa e renovada, sempre avançando em direção à realização.

    Como transmitimos isso a uma criança? As crianças pequenas adoram surpresas, e este é o dia em que você deve ceder completamente à sua vontade de surpreendê-las. Agrados inesperados trazem alegria a quem dá e a quem recebe, e para acontecer eles só precisam de "Eu queria fazer algo diferente". Afinal de contas, essa é a única razão que Deus precisa.

No caso das crianças mais velhas, a incerteza pode parecer um problema, uma vez que sugere um mundo em transformação difícil de enfrentar. Ensinar aos seus filhos a não se agarrarem às coisas e a apreciar as mudanças é importante, pois isso é uma confrontação direta com a ansiedade oculta. É apropriado perguntar às crianças a partir dos cinco anos se algo novo é fonte de receio para eles. Tudo que você precisa é começar com uma pergunta do tipo "Eu sei que você nunca fez isso antes. Você está com medo?".

Nesse dia você também pode lembrar a si mesmo que não deve agir na frente das crianças como se soubesse tudo, como se ser adulto significasse que todas as questões estão resolvidas. Esta é uma questão delicada, porque, por outro lado, as crianças se sentem seguras na presença da autoridade. Desse modo, você precisa dar um enfoque positivo à sua incerteza. Em vez de dizer "Não sei a resposta", enfatize a ideia de que existem muitas respostas e que na vida é divertido descobrir o quanto ainda temos que aprender, por mais que já saibamos.

3. Ninguém gosta de perder coisas, em nenhum nível. As crianças ficam tão mortificadas com a morte de um animal de estimação ou com a perda de um brinquedo quanto os adultos ficam com a morte de um amigo íntimo ou com a perda de um emprego. A dor que sentimos com a perda é proveniente da expectativa; esperamos que ao obter uma coisa isso nos fará mais felizes, ao passo que não tê-la nos tornará mais infelizes. Apesar das incontáveis histórias que nos advertem de que a

riqueza não traz a felicidade, todos nós ainda igualamos dinheiro e posses a bem-estar.

Você pode começar desde cedo a ensinar aos seus filhos uma outra maneira. A procurarem a felicidade no interior de si mesmos em vez de do lado de fora. É aqui que entra a lição da perda e do ganho. Tratar a perda apenas no plano material não satisfaz a criança. Dizer "Não chore, vou comprar outra boneca para você" é uma frase que encerra tão pouca visão quanto a frase oposta, ou seja, "Você foi culpada por perder a boneca, de modo que não vai ganhar outra".

Ambas as frases pressupõem que a boneca é a fonte da felicidade. Você terá que decidir se vai ou não substituir algo que foi perdido. A questão maior, no entanto, é que a boneca não tem importância. Faça com que as crianças se sintam seguras e amadas, não importa o que elas tenham ou não tenham. Desse modo, a perda pode ser um motivo para você reforçar a ideia de que "o verdadeiro eu" é adequado, independente de qualquer outra coisa. Deixe que a criança sofra com a perda – não devemos impedir a expressão emocional –, mas dê um enfoque adequado à situação: "Sei que você está sofrendo, mas você só perdeu uma coisa, e os motivos pelos quais você está aqui são muito mais importantes do que as coisas que você tem ou deixa de ter."

Quais são esses motivos? Nas situações difíceis, depois que a emoção passar, você pode dizer algo assim:

"Você está aqui para ser especial, porque você é especial."
"Você está aqui para descobrir todos os tipos de coisas."
"Você está aqui para que a Mamãe e o Papai amem você e tomem conta de você."
"Você está aqui para ser feliz de todas as maneiras."

Cada afirmação faz referência à noção de que "Eu" sou único, criativo, amado e não sou afetado pela perda. Chorar a perda de uma boneca não é a mesma coisa que perder parte de si mesmo – mas você ficaria surpreso com a quantidade de crianças que não percebem essa simples verdade porque seus pais não a transmitem a elas.

Desse modo, toda a questão do ganho e da perda é tratada de uma só vez. Inúmeras pessoas crescem pensando que seus problemas serão solucionados tão logo eles tenham o suficiente de alguma coisa – dinheiro, fama, *status*, e assim por diante. Mas a perda e o ganho sempre surgem em ciclos. Em última análise, isso é verdadeiro com relação à vida e morte, que perseguem eternamente uma à outra no ciclo de nascimento e renascimento.

O desapego é a qualidade que permite que a pessoa se sinta intocada pela perda ou pelo ganho. Nenhum dos dois afeta o Eu; o eu é sempre pleno. Ele sempre obtém amor e felicidade suficientes para satisfazê-lo a partir da própria fonte. Ensine isso aos seus filhos, concentrando-se no fato de que essa fonte de amor e felicidade está sempre disponível. A jornada espiritual é uma expressão de quão mais seguro o Eu é em relação ao eu.

REFLEXÕES SOBRE A LEI DO DESAPEGO

*O desapego envolve sentir paixão pelo trabalho,
mas ser imparcial com relação aos resultados.*

*Qualquer nome ou rótulo com que você se identifique é falso.
O verdadeiro eu não possui vínculos ou nomes;
ele está além de todos os rótulos.*

*Confiar em si mesmo e não no que você realiza
é a chave do sucesso.*

*Coloque-se nas mãos do universo – você não terá
então nenhuma necessidade de controle.*

A autoaceitação conduz ao sucesso, e não o inverso.

SÁBADO

É O DIA DO *DHARMA*.

*Hoje dizemos aos nossos filhos,
"Você está aqui com um propósito".*

No sábado concordamos, na qualidade de pais, em fazer o seguinte com nossos filhos:

1. Perguntar a cada um deles: "Onde está você neste momento?"
2. Estimular seus talentos e aptidões especiais.
3. Convidá-los a praticar um ato que envolva o serviço.

A vida de todo mundo é um conto de fadas escrito pela mão de Deus.

Hans Christian Andersen

Dharma é uma palavra em sânscrito que possui vários significados: dever, propósito e lei. Em certo sentido, o dia do dharma é o dia da lei, a realização de toda uma semana dedicada a leis espirituais. Nesse dia refletimos sobre o quão adequadamente seguimos a lei espiritual, e o quanto nossa existência está em efetiva sintonia com a harmonia do universo.

Hoje lembramos aos nossos filhos: "Você está aqui com um propósito." A lei espiritual está aqui para nos servir ao mesmo tempo que a servimos. Ela nos serve mostrando-nos que a felicidade e realização duradouras são possíveis, na verdade, inevitáveis. Existe um propósito oculto que atua em prol da nossa evolução em cada evento, cada ação, cada pensamento. A meta mais elevada na vida é encontrar esse propósito e viver segundo ele.

Nesse dia medimos nosso sucesso baseados na realização que tivemos durante a semana, em quanto conforto e oportunidades ela nos trouxe, nas novas inspirações e ***insights*** que tivemos. Refletimos então essas coisas em nossos filhos. A noção de que a vida é injusta só parece válida porque vivenciamos o comportamento desprovido de amor de outras pessoas, que nem sempre são capazes de compartilhar os níveis elevados de consciência que o espírito está tentando inspirar.

O propósito só é ativado quando você é receptivo. A percepção consciente é a chave para você alcançar o que o universo planejou para você.

Você pode reforçar na família a ideia de que a vida é sempre justa. O dharma garante esse fato através da força da lei espiritual. Dizer que a vida é injusta significa pressupor que ela é aleatória, desprovida de sentido, caprichosa e perigosa. Em outras palavras, que é destituída de lei espiritual. Assim, nesse dia, você pode combater essas impressões mostrando que a vida é, na verdade, justa, e o que a torna justa é o fato de que temos o livre-arbítrio à nossa disposição para nos expressarmos com cada grama de poder criativo.

SÁBADO COM AS CRIANÇAS

As três atividades do sábado giram em torno do propósito da vida que desabrocha para a criança. Pergunte aos seus filhos "Onde você está neste momento?", estimule a qualidade única de cada um deles, e convide-os a praticar um ato que envolva o servir.

1. É através da pergunta "Onde você está agora?" que você explora as ideias dos seus filhos sobre o propósito e o progresso deles. O dharma da pessoa é o caminho da pessoa, que se traduz em vários componentes:

- Aonde eu acho que estou indo. Essa é minha visão.
- Como eu planejo chegar lá. Esse é meu trabalho no caminho.
- Aonde eu acho que já cheguei. Este é meu nível de consciência.
- O que eu acho que está me retendo. Este é meu desafio ou lição atual.

Para ser completo, o dharma precisa conter todos esses ingredientes. Uma visão sem meios para realizar a viagem é apenas uma fantasia. O trabalho e o esforço árduos sem visão são o talento esvaindo na areia. Nem todos esses ingredientes precisam ser verbalizados todos os dias; uma visão, por exemplo, é geralmente mais forte no início, cedendo lugar ao trabalho e aos obstáculos que surgem a fim de tornar real a visão.

Mesmo assim, é bom fazer com que seus filhos aprendam a ser conscientes de seus caminhos. As crianças menores têm um propósito instintivo: ser felizes. Mas tão logo a criança tenha idade suficiente para estabelecer metas – depois dos cinco ou seis anos –, medir o progresso em direção a uma meta torna-se necessidade. "Em que ponto você está? Como as coisas estão indo? Você está se aproximando do que quer conseguir? Se não está, por que não está?". Com essas perguntas em mente, os pais podem começar a estimular cada filho a sentir diariamente uma ligação íntima com o propósito da vida.

Você também pode expandir esse tópico perguntando "Em que ponto chegamos como família?". Muitas famílias se encolheriam diante da possibilidade de fazer essa pergunta, porque não têm abertura, intimidade e confiança suficientes para que as respostas surjam honestamente. Ou então os pais são por demais apegados à ideia de terem todas as respostas.

Precisamos ensinar desde cedo aos filhos que expressar o que eles sentem com relação às questões familiares é adequado. O mesmo se aplica ao fato de eles dizerem sinceramente se seus desejos pessoais não estiverem se tornando realidade. Muitos desejos não se tornam realidade, pelo menos não de imediato; o desapontamento, o desânimo e a frustração são realidades espirituais das quais as crianças não precisam se esconder. Nenhum caminho é desprovido de obstáculos, e embora um obstáculo possa parecer negativo no nível emocional, a Lei do Dharma nos diz que há algum bem oculto em cada bloqueio. O dharma é a lei universal; ele nos sustenta onde precisamos estar. Assim, a suprema resposta para a pergunta "Em que ponto você está neste momento?" é "Exatamente onde devo estar".

Dar essa resposta pressupõe uma grande segurança, e é essa segurança que você quer reforçar nos seus filhos. Como indivíduos, somos desprovidos da visão do que está depois de cada curva na estrada; não faz parte dos métodos da Natureza revelar toda a paisagem, pois a surpresa e a incerteza estão inseridas no plano divino.

É claro que as crianças ficam facilmente frustradas quando as coisas não acontecem exatamente como elas esperam, e ser paciente e estar em harmonia com a noção de que toda pessoa está exatamente onde precisa estar é um processo que dura a vida toda.

2. Fazer uma criança sentir que ela é única significa fazer com que ela sinta que é *desejada* de forma única. Ter um talento é uma coisa; sentir que o universo o acolhe com prazer é outra. A singularidade sem amor é estéril e muito pouco diferente da solidão. Hoje você pode sentar e relacionar os talentos de cada filho, pedindo a eles que participem, a fim de reforçar a noção de que os talentos nos são dados pelo espírito para nossa felicidade e realização.

3. Convide cada criança a fazer algo agradável para outra pessoa, por menor que seja o gesto. Apanhando algum lixo que ela veja no chão enquanto anda de bicicleta, abrindo a porta para uma pessoa idosa, ajudando os irmãos mais novos a arrumar o quarto. São ações que têm tanto valor quanto uma obra de caridade. O que você quer ensinar é o significado interior

do gesto. Ajudar outra pessoa nos proporciona uma sensação mais agradável do que fazer uma coisa para nós mesmos. Esta é a essência do que você quer transmitir, e não apenas que servir é um ato virtuoso ou que faz a pessoa parecer boa aos olhos dos outros (que é o motivo frequente que leva os adultos a praticarem uma boa ação).

Servir aos outros se harmoniza muito bem com a noção de que a singularidade está em toda parte. Quando você serve aos outros, você tem a oportunidade de apreciar o valor deles; o serviço expressa diretamente essa apreciação. Levar uma criança a fazer coisas boas para um irmão menor ou um amigo conduz diretamente à sensação de quão especial é esse amigo ou irmão. Desse modo, ser especial passa a ser uma qualidade que todo mundo possui.

Quando você serve aos outros, você lembra a si mesmo seu dever como filho amoroso do Todo-Poderoso. *Dever* é um sinônimo de *dharma*, e a palavra abrange o dever para com a sociedade, o dever para consigo mesmo e o dever para com Deus. Seu dever para com a sociedade é servir aos outros; seu dever para consigo mesmo é desenvolver-se espiritualmente; seu dever para com Deus é participar do plano divino para a evolução superior da humanidade.

Como pais, não estamos ensinando aos nossos filhos regras rígidas que precisam ser observadas. Estamos convidando-os a participarem da nossa jornada, do nosso senso de propósito, que nunca termina. Trata-se de uma jornada cujo significado está em eterna expansão. Embora as crianças muito pequenas talvez não sejam capazes de compreender o que isso significa através apenas das palavras, seu filho pode facilmente perceber se você considera a vida estimulante e maravilhosa. Seu senso de propósito no universo fala bem mais alto do que as palavras.

REFLEXÕES SOBRE A LEI DO DHARMA

Uma vida com propósito revela o propósito da vida.

Você nunca pode estar errado a respeito do destino. Quer você seja ou não bem-sucedido, você provará que estava certo.

O universo tem um propósito – a realização da criatividade e felicidade humanas.

Não julgue sua vida. Toda vida é um passo em direção à união com Deus.

Não se esforce por descobrir por que você está aqui – apenas olhe mais de perto.

CONCLUSÃO

O QUE NÃO PODEMOS DISPENSAR

Como pai ou mãe, o que você não pode dispensar de jeito nenhum? A maioria das pessoas responderia automaticamente "amor", o que, sem dúvida, está correto. Mas depois teríamos que fazer uma pergunta mais profunda: "De onde vem o amor?"

Por si só, o vínculo do amor não é suficiente, porque ele se desgasta e às vezes se rompe. Todos criamos nossos filhos de acordo com o que chamamos de amor; no entanto, os jovens de hoje têm problemas terríveis.

Existe algo mais profundo do que o amor, algo que você realmente não pode dispensar: a *inocência*. A inocência é a fonte do amor. Inocência, como a defino aqui, não é ingenuidade. É exatamente o oposto. Inocência é abertura. Ela se baseia em um profundo conhecimento espiritual de várias questões críticas.

Inocência é o conhecimento de que você pode guiar os filhos, mas jamais controlá-los. Você precisa estar aberto à pessoa que existe dentro de cada criança, uma pessoa fadada a ser diferente de você. Na inocência, este fato pode ser aceito de coração tranquilo.

Inocência é o conhecimento de que o amor é mais profundo do que os eventos superficiais. Na superfície, a jornada da criança é instável e difícil. Todos queremos ensinar aos nossos filhos as lições que tivemos mais dificuldade em aprender; queremos protegê-los contra o sofrimento desnecessário. Na inocência compreendemos que a superfície da vida é uma distração que nos afasta da jornada mais profunda que toda pessoa precisa empreender. Trata-se da jornada da formação da alma. A formação da alma tem lugar debaixo do olhar cuidadoso do espírito. Podemos ajudar nossos filhos a perceber a importância fundamental da alma deles, mas não somos responsáveis pela jornada. Esta última é um acordo único realizado entre cada pessoa e seu Eu superior.

Se eu me propusesse a colocar todos esses pontos em uma única frase, seria esta: Inocência é o conhecimento de que seu filho é seu, mas, ao mesmo tempo, não é seu.

Todas as pessoas são, em última análise, filhas do espírito. Todos crescemos pertencendo a uma família, mas este é um pertencer muito frouxo. Basicamente pertencemos a nós mesmos, o que quer dizer que pertencemos ao nosso espírito, alma ou essência.

Por conseguinte, olhar para uma criança com amor verdadeiro significa enxergar essa centelha do divino. É fácil dizer que toda criança é única e preciosa, mas o que realmente torna essa afirmação verdadeira é a inocência, a capacidade de olhar para a criança como uma alma que está empreendendo a jornada da formação da alma. Isso significa abrir mão de certos padrões profundamente enraizados a respeito da criação dos filhos.

Os pais estão acostumados a serem figuras de autoridade. Como tal, estamos acima e além dos nossos filhos. Somos mais espertos, mais poderosos, mais experientes, estamos no comando do dinheiro e da propriedade. A partir dessa posição de autoridade, os pais têm sido capazes de fazer julgamentos, aplicar punições, estabelecer as regras do certo e do errado, e de fazer tudo isso com um claro senso de dever e propósito.

Este livro delineou um dever e propósito diferentes. Nesta nova visão, os pais não são autoridades. Você e seu filho são almas; ambos estão empreendendo a jornada da formação da alma. A única diferença são os papéis escolhidos. Todas as almas são imortais; elas não podem ser criadas ou destruídas. Mas nós escolhemos papéis que desempenhamos temporariamente.

O maior bem que você pode fazer espiritualmente a si mesmo é desempenhar seu papel de pai ou mãe com amor completo, convicção e propósito. A razão pela qual você escolheu o papel de pai ou mãe foi basicamente egoísta – no melhor sentido espiritual. Trata-se do papel que irá erguê-lo e inspirá-lo mais do que qualquer outro. O mesmo é verdade com relação ao seu filho. Na qualidade de espírito onisciente e imortal, seu filho decidiu ser uma criança frágil e vulnerável, totalmente dependente da sua ajuda. Esse é o papel que a criança desempenha, com total convicção e dedicação. E, no entanto, vocês dois, se abandonarem o papel que estão desempenhando, são almas puras e iguais. A inocência possibilita que você perceba isso, que você desempenhe o papel, mas vá além dele.

Algumas pessoas poderão contestar essa ideia, mas acho que existem momentos na vida de todos os pais em que a expressão no olhar de uma criança conta uma história de sabedoria infinita, de experiências que transcendem esse momento particular no tempo e no espaço. Eu sei que isso foi verdade com meus filhos. Eu os botei na cama, li histórias para eles, joguei bola e compareci orgulhoso a recitais de dança. O tempo todo em que fiz isso fui o pai e eles os filhos.

Mas houve outros raros momentos em que toda a fachada desmoronou. Vi meu filho me olhar rapidamente e dizer: "Aqui estamos de novo. Que jogo interessante estamos jogando desta vez." Vi minha filha sorrir de uma maneira tal que soube que ela estava prestes a rir em voz alta por causa das máscaras que vestimos para manter vivos nossos papéis.

Nesses olhares e sorrisos preciosos, senti o vínculo da inocência, que é mais poderosa do que o amor, porque o transcende. Em vez de estar aqui apenas como uma unidade com seus triunfos e fracassos particulares, cada família é uma união de almas. O que temos em comum não é o lugar onde moramos, as escolas que frequentamos ou o que fazemos para ganhar a vida. Navegamos juntos os mares da imortalidade – esse é o verdadeiro vínculo. É quando você consegue enxergar além do papel que está desempenhando e ainda assim representá-lo com amor e dedicação, que está sendo verdadeiramente espiritual em sua abordagem da criação dos filhos.

Finalmente, as Sete Leis Espirituais são apenas maneiras de fazer com que isso aconteça. Elas nos lembram que devemos manter o fluxo da inocência. Existem muitas coisas neste mundo capazes de destruir a inocência e preciosas pequenas coisas que mantêm seu fluxo. Não encaro a lei espiritual como sendo opcional – é assim que o universo funciona à medida que se expande a partir do Ser puro e imanifesto em direção à variedade infinita do mundo criado. Se você viver em harmonia com as leis espirituais, você estará em harmonia com a inteligência ilimitada do Ser. Como pais, portanto, o que ensinamos aos nossos filhos não é diferente do que precisamos ensinar continuamente a nós mesmos.

Mantenha o fluxo da inocência. Tudo depende disso.

SOBRE O AUTOR

Deepak Chopra escreveu dezenove livros, que foram traduzidos em mais de trinta idiomas. Ele também é autor de mais de trinta séries de fitas de áudio e de vídeo, inclusive cinco obras aclamadas na televisão: *Body, Mind and Soul; The Seven Spiritual Laws of Success; The Way of the Wizard; The Crystal Cave* e *Alchemy*. O Dr. Chopra também dirige programas educativos no The Chopra Center for Well Being em La Jolla, na Califórnia.

Prezado Amigo,

Este livro é uma manifestação que surgiu a partir de milhares de cartas que recebi dos leitores das *Sete leis espirituais do sucesso*. O The Global Network for Spiritual Success tem origem na mesma fonte. Ao inserir a aplicação consciente das Sete Leis Espirituais na vida cotidiana, a Network cresceu e se transformou em uma família global dedicada à expansão do amor. Ao nos concentrarmos em uma lei a cada dia da semana, começando no domingo com a Lei da Potencialidade Pura e terminando no sábado com a Lei do Dharma, utilizamos coletivamente o poder da intenção de transformar a vida na terra para nós e para nossos filhos.

Ao se unir à Global Network, você pode entrar em contato com outras pessoas no mundo inteiro e receber material inspirador e informativo que visa estimular, apoiar e aprofundar seu crescimento ulterior.

O Global Network for Spiritual Success é uma concretização da minha profunda dedicação à família. A família global está crescendo, transformando-se e procurando uma direção. Eu o convido a dedicar seu amor e sua energia à criação de um maravilhoso *playground* para nossas crianças globais. Não consigo pensar em nenhuma experiência mais satisfatória.

Com amor,
DEEPAK CHOPRA

Impressão e Acabamento:
EDITORA JPA LTDA.